IMA! 1 今

いま

Sue Burnham

Illustrated by Roger Harvey

CIS·Heinemann

First published 1998 by CIS•Heinemann
A division of Reed International Books Australia Pty Ltd
22 Salmon Street, Port Melbourne, Victoria 3207
Telephone (03) 9245 7111
Facsimile (03) 9245 7333
World Wide Web http://www.hi.com.au
Email info@hi.com.au

Offices in Sydney, Brisbane, Adelaide and Perth.
Associated companies, branches and representatives around the world.

2006 2005 2004 2003 2002 2001 2000 1999
10 9 8 7 6 5 4 3 2

Edited by Jane Angus, Writers Reign
Designed by Tanya Lea
Handwritten kanji by Kae Sato-Goodsell
Maps by Guy Holt
Photographs by Michael Sedunary
Production by Cindy Smith

Film supplied by Impact Printing Pty Ltd
Printed in Singapore by Craft Print Pte Ltd

National Library of Victoria Cataloguing-in-Publication data

Burnham, Sue.
Ima! 1.

ISBN 1 876209 15 1.

1. Japanese language – Textbooks for foreign speakers – English.
I. Harvey, Roger 1956 – . II. Title.

495.68

Acknowledgements

The author would like to thank the following people:

In Australia
Yuki Itani, Shoko Hagino and Michael Sedunary for language and general consultancy.

Marie Pitt, Miyuki Toyoda, Saeko Kitai, Anne de Kretser, Cathie Jonak and Anne Dare for their advice and constructive input.

In Japan
Yukiko Saegusa-Suzuki and Akira Yamaguchi for general assistance.

The Asano family: Fujio, Mieko, Masaru, Sawako and Minako, Kanazawa; and the Principal, staff and students at Takaoka Junior High School, Kanazawa, for their enthusiastic cooperation.

Photography
p 161 (top photo), p 162 (second photo) and p 165 (school photo) supplied by Sawako Asano
All other photographs (unless credited below) by Michael Sedunary

The publishers wish to thank the following companies and institutions who kindly gave permission to reproduce copyright material in this book:
p 2 (Kinokonoyama chocolate box) Permission by Meiji confectionery company
p 17 (Penguin postcard) Designed by Y Hatane. © Nihon Hallmark
p 34 (Front cover of Morning comic book) © 1997 Kodansha/Minoru Hiramatsu/thesedays
p 34 (Japanese sweets) Permission granted by Toraya Confectionery Ltd
p 57 (Chicken McNuggets ad) Permission by McDonald's Japan
p 82 (Father's Day raccoon ad) Permission by Akaneya, Shizuoka
pp 90, 95, 96, 103 (Corn Flakes packet, Frosties packet, Coco Pops packet) © Kellogg Company
p 108 (pie and heating instructions) Permission by Dasukin, Osaka
p 130 (Shinkansen bullet trains) Permission by JR Higashinihon
p 154 (cartoon) Permission by Todai Seminar
p 179 (hamburger ad) Permission by McDonald's Japan

Despite every effort, the publishers were not always successful in tracing all copyright owners. Should this come to the attention of the copyright owners concerned, the publishers request that they contact them so that proper acknowledgement can be made in any reprint of this book.

Special thanks to Michael Sedunary for unfailing support.

もくじ

Social and cultural awareness
Changing diet – breakfast
Expressions used before and after eating
School uniforms

Kanji
時 分 半 月 火 水 木 金 土

Language points
〜時　〜時半　15分　15分まえ／45分
Particles:
- と for *and*
- に for *at* a time, *on* a day, *to* a place and *for* (breakfast)
- を for marking object
- どうよみますか

第四課　学校に行きます

Read about how Sawako gets to school.
Masaru explains his school times.
Sawako sleeps in – or does she?

Communication tasks
Saying how you get to places
Asking someone else how they get to places
Saying who you go with
Asking someone who they go with
Telling the time in five- and ten-minute intervals
Talking about school times
Asking someone else about their school times
Responding to thanks

Social and cultural awareness
Travelling to school
An introduction to school life
Hiragana and kanji in signs
Some *-est* things, e.g. fastest train, tallest building, highest roller coaster

Kanji
学 校 行 (時)々

Language points
どうやって行きますか
〜で／あるいて行きます
だれと，ともだちと，一人で
〜から〜まで
10分, 20分 etc.

第五課　学校

Sawako explains a typical school day.
How does Sawako become a star in music class?

Communication tasks
Explaining your timetable
Saying what subjects you study
Telling someone your favourite subject
Saying what someone is good at
Telling someone your year level
Asking someone their year level
Saying how you find people and things
Asking how someone finds people and things
Asking what something is in English or Japanese

Social and cultural awareness
Typical school day
Cram school

Kanji
何 年 生

Language points
何年生?，ちゅう学〜年生 etc.
どうですか，きびしい／おいしいです
〜じかんめは何ですか，えい語です
よくできます，あまりできません
「〜」は日本語で何ですか
〜よ

第六課　しゅうがくりょこう

Sawako shows her school trip photos.

Communication tasks
Explaining a trip
Saying what you did
Asking someone what they did
Saying where you did something
Asking someone where they did something
Saying how you found people and things
Asking how someone found people and things
Saying on what date/s you did something
Finding out when someone's birthday is

Social and cultural awareness
Some famous tourist spots
School trips, print club

Kanji
見 大

Language points
〜ました with verbs
〜かった with adjectives
で for place of action
いつ
Months and days of the month

第七課　ひまな時

See how Masaru, Sawako and Minako spend their free time.
Eri is surprised!

Communication tasks
Saying what you do in your spare time
Asking someone what they do in their spare time
Telling someone about your hobbies and interests
Saying what you did on the weekend
Asking someone what they did on the weekend
Accepting compliments

Social and cultural awareness
Sports and free-time interests
School club activities
Some summer holiday attractions
A look at home life

Kanji
男 女 子

Language points
どんな〜
〜ません
じょうず／へた
れんしゅう／べんきょうします
します as play
〜に行って、...

Vocabulary List

日本語ーえい語
カタカナーえい語
えい語ー日本語

みなさんへ Please read me

こんにちは！これはあなたの日本語の本です。なまえは「いま！」で... Wait a minute! Perhaps you don't understand this yet. Never mind, it won't be long until you do. After a couple of chapters of ***Ima!*** you'll be saying and writing this sort of Japanese for yourself. Take on the challenge of listening and speaking, reading and writing and just watch your Japanese improve. **Ima!** means **Now!**, so don't put it off – have a go **now!** Do it **now!**

In this *Textbook* you will meet Sawako Asano, her brother Masaru, her little sister Minako and their parents, Mieko and Fujio. The stories and photographs in each chapter will show you what life is like for the Asano family and get you talking about your own life in Japanese.

As well as learning the Japanese language, you will learn some interesting things about Japan and the Japanese people. You will get a glimpse of traditional Japanese culture, but most of all you will discover what is happening in Japan **now**.

Textbook

Japanese script makes writing and reading quite special skills, so the ***Ima! 1*** *Textbook* begins with a chapter to get you started on them. You will also do some speaking and listening activities in this chapter, so that you can hear how it sounds and say a few things too!

If you can already write some Japanese, that's terrific, but don't think you won't have anything to do! You will find activities in the ***Ima! 1*** *Workbook* to help you consolidate and improve your writing. After the writing chapter there are seven more chapters, each divided into the following sections:

Photo story

Each chapter begins with a photo story set in Kanazawa, where Sawako and Masaru live. These stories present you with different aspects of their daily lives. You'll see, for example, where they live, what they have for breakfast, how they get to school and what they enjoy doing in their spare time. The photo stories also give you lots of new words and expressions and new ways of writing and saying things in Japanese. You're not expected to take in everything at once, of course. You'll have to keep coming back to the stories, perhaps to read and listen to a bit at a time and to check on how different people said this or that.

まんが

We weren't always able to photograph the Asano family; sometimes it made more sense to present their antics in cartoon stories, called まんが (*manga*). Treat the まんが in much the same way as the photo stories. Expect to see some familiar language used in new situations. Expect the challenge of some new words and expressions as well. And there are times when we want you to just sit down and have a read and a laugh, and surprise yourself with how much you can understand!

いってみよう

The hardest part of learning a new language, the part that needs the most practice, is speaking. Under the いってみよう heading you will find lots of different things to talk about, and you will have lots of opportunities to ask simple questions or make simple comments about what you see on the page. Sometimes your teacher will have you speaking with the class as a whole, sometimes with a smaller group, and sometimes with just one of your classmates.

Here is an example of how the いってみよう exercises work. On page 12 there are six people to talk about, numbered 1 to 6. You can read their names in Japanese. There is also a short conversation that you can have about them. The conversation can be varied by changing whatever is in red print. So, your conversation won't just be about Sawako (number 2), it will also be about Minako (number 1) or Hirofumi (number 6).

By varying the items in red print, you can make every conversation apply to every picture. So there is a lot more to say than you might think when you first look at the page. And when you have finished with the page, apply the conversation to your own life. Look around you and talk about your classmates, your teacher, your friends and your family.

ふたりで

ふたりで means *in a pair* – your teacher will ask you to do these exercises together with one of your class-mates. You have to make up a sensible conversation by choosing something appropriate to say whenever a choice is offered. It is important for you to listen to what your partner chooses so that your reply makes sense. It's no good if you say that your name is Eriko and your partner says 'Hi, Hiromi!'. So listen to each other and build up your dialogue together.

みんなで

This is the most important speaking activity in each chapter. This is your opportunity to move around and actually use your Japanese to do something practical. You may have to introduce yourself or someone else, talk to a group about your family or interview some classmates about what they do. Attentive listening is an important part of みんなで too. When your classmates are speaking you will need to listen carefully so you can ask questions or record their answers. You will enjoy using your Japanese here to tell people about your life and your interests and to ask other people about themselves.

しってる?

After you have been reading stories in Japanese, answering questions in Japanese, talking to your classmates in Japanese and generally getting involved in the activities of each chapter, you will start to understand how the Japanese language works. The しってる? section will help you with this by explaining grammar in a way that will help you see the Japanese language as a system.

ことば

Under this heading you will find new words and expressions for each chapter. You will become familiar with new vocabulary by hearing, reading, speaking and writing it, but you will need to make the effort to learn it by heart as well. Your teacher will give you some hints on how to do this and will set you bits of the new vocabulary to learn at one time.

You will forget some of the words you have learnt – everybody does. But don't worry: vocabulary is recycled as you go on and you can always check words you have forgotten in the vocabulary lists at the back of the book.

かいてみよう

This section focuses on the kanji characters that you will need for reading the stories in each chapter. You will be able to trace over these with your finger and practise the stroke order before writing them in your *Workbook*. Your teacher will help you to recognise what these characters are and what they mean before you learn to write them.

よんでみよう

This section will also help you with mastering kanji characters. You will see the kanji that you have been learning on the signs and the brochures that Japanese people see and use every day. You'll be surprised at how much you can work out!

おもしろい日本

The title of this section means *Interesting Japan* and you will enjoy reading articles and seeing photos that depict life in Japan today. You will read these in Japanese, of course, and so your reading skills will improve as you broaden your knowledge of the culture.

Workbook

This *Textbook* has all the stories and photographs to show you about Japan and to get you talking about your life in Japanese. But you don't write in this book: you do all your written work in your *Workbook*. The *Workbook* will give you the time and space to work quietly away at the language you have been speaking in class. In the *Workbook* you will find:

- a section with exercises and activities to help you learn to write the hiragana script and selected kanji characters
- listening comprehension exercises based on what you hear on the ***Ima! 1*** *Cassettes*
- a series of questions and exercises based on the photo stories, まんが and おもしろい日本
- a variety of writing exercises to help you practise the language you are learning
- a range of activities requiring you to use your written Japanese for a practical purpose
- some word puzzles to help you remember the vocabulary.

The *Workbook* will be your main Japanese workplace for quite a long time.

Teacher's Activity Pack

So, you have the ***Ima! 1*** *Textbook* and *Workbook*, while your teacher has the *Textbook*, a set of *Cassettes* and a *Teacher's Activity Pack*. The *Cassettes* have the voices of the Japanese people in the book, telling their stories and acting out the different situations they get into. The *Teacher's Activity Pack* will help your teacher to work out the order in which to do the different activities in the *Textbook*. You will see that ***Ima!*** is not the sort of book you just go through page by page. You will have to get used to going backwards and forwards to the different sections of a chapter so that you get a good balance of practice for your listening, speaking, reading and writing skills.

In the *Teacher's Activity Pack* will be some songs for you to sing and some special sheets that list the things you are aiming to learn in each chapter. Your teacher will also have some extra material to give to you if you finish the other work in the chapter ahead of your classmates.

So, when should you start? How about **now**? How about ***Ima!***

ひらがな

夏こそ、
天ぷら。
特選
太刀魚天丼
たち うお
六九〇円
九州近海産太刀魚
気品ある
白い美味
期間限定8/31まで

Learn how to:

- read and write the hiragana letters
- ask someone their name
- tell someone your name
- count to ten
- ask someone their age
- tell someone your age
- say what the weather is like
- be agreeable!
- say that something is yours
- lend and borrow classroom items
- give and understand some classroom instructions
- sing a hiragana rap song
- read and write the kanji

一　二　三　四　五　六
七　八　九　十　百

はじめるまえに Before we start ...

Japanese writing

A script is a way of writing. In English we use the Roman script. Why do you think it is called this? Do you know any other languages that use the Roman script? Japanese writing uses three scripts. These are called *kanji*, *hiragana* and *katakana*. You can see all three used on this chocolate snack box.

漢字 Kanji

You'll notice that the words labelled 漢字 look a bit complicated. Kanji are characters that have been adapted from Chinese writing. They were introduced into Japan around the sixth century AD. Many kanji have come from pictures. The kanji 山 in the brown writing means *mountain*. This is how a picture became the kanji character 山: → 山 → 山

ひらがな Hiragana

There are 46 basic symbols or sounds in the hiragana table, which is like our alphabet. You can see that hiragana has a curving, flowing look: きのこの山

See if you can find some more hiragana words on the chocolate box.

カタカナ Katakana

Katakana is also a set of sounds which can be put in a table like hiragana. The difference between hiragana and katakana is that katakana is used for writing foreign words. For example, on the chocolate box, the word for chocolate, チョコレート, is written in katakana.

Look carefully at the word that is labelled カタカナ. Does it look like hiragana? Can you tell that it is more angular?

チョコスナック, which means *chocolate snack*, is also written on the box. Try to find it!

The hiragana table

Here is the hiragana table. Each hiragana letter represents a syllable or sound – either a vowel, a consonant, or a consonant and a vowel.

When a Japanese person looks at a word like *hiragana* they would say that it has four letters or four syllables. Find these on the table. Have you found ひ (*hi*), ら (*ra*), が (*ga*), な (*na*)?

How many syllables does the word *kanji* have?

Did you also notice the red rows on the hiragana table? These are hiragana letters that are made by adding special marks. For example, が (*ga*) from the word *hiragana* has been created by adding ゛ to か (*ka*).

	a	i	u	e	o
	あ	い	う	え	お
k	か	き	く	け	こ
g	が	ぎ	ぐ	げ	ご
s	さ	し (shi)	す	せ	そ
z	ざ	じ (ji)	ず	ぜ	ぞ
t	た	ち (chi)	つ (tsu)	て	と
d	だ	(ぢ) (ji)	(づ) (zu)	で	ど
n	な	に	ぬ	ね	の
h	は	ひ	ふ	へ	ほ
b	ば	び	ぶ	べ	ぼ
p	ぱ	ぴ	ぷ	ぺ	ぽ
m	ま	み	む	め	も
y	や		ゆ		よ
r	ら	り	る	れ	ろ
w	わ				を (o)
n	ん (n)				

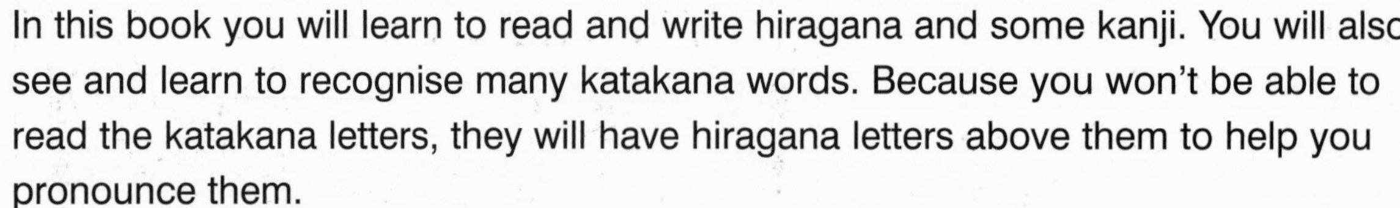

In this book you will learn to read and write hiragana and some kanji. You will also see and learn to recognise many katakana words. Because you won't be able to read the katakana letters, they will have hiragana letters above them to help you pronounce them.

You will also see some kanji characters that you are not expected to learn yet. They will have hiragana letters above the characters to help you with pronunciation. Hiragana used like this is called *furigana*. It is used in Japan also to assist with difficult or unusual readings.

Here's an example of what you will see:

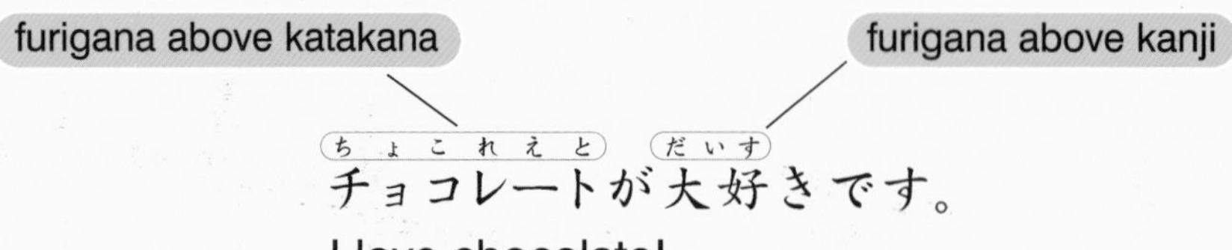

I love chocolate!

Writing hiragana

You will learn to write the hiragana letters gradually. You can keep track in your workbook of how many you have learnt. Try to learn each hiragana letter as your teacher introduces it – it's quite easy to learn, say, six at a time, but it becomes more difficult when you have to learn 12 or 18 because you have fallen behind. Begin with the letters that spell out the word *hiragana*. You'll see that for each letter there is a handwritten and a printed version, just as in English we write, for example, the letter a like this but we see it in print as a. You should learn to write the handwritten version of the hiragana letters.

Look at the letters below. Trace over them with your finger so that you get used to the shape and the order in which each letter is written. You can then practise writing the letters in your workbook. (Since が and か are related, you can learn か at the same time.)

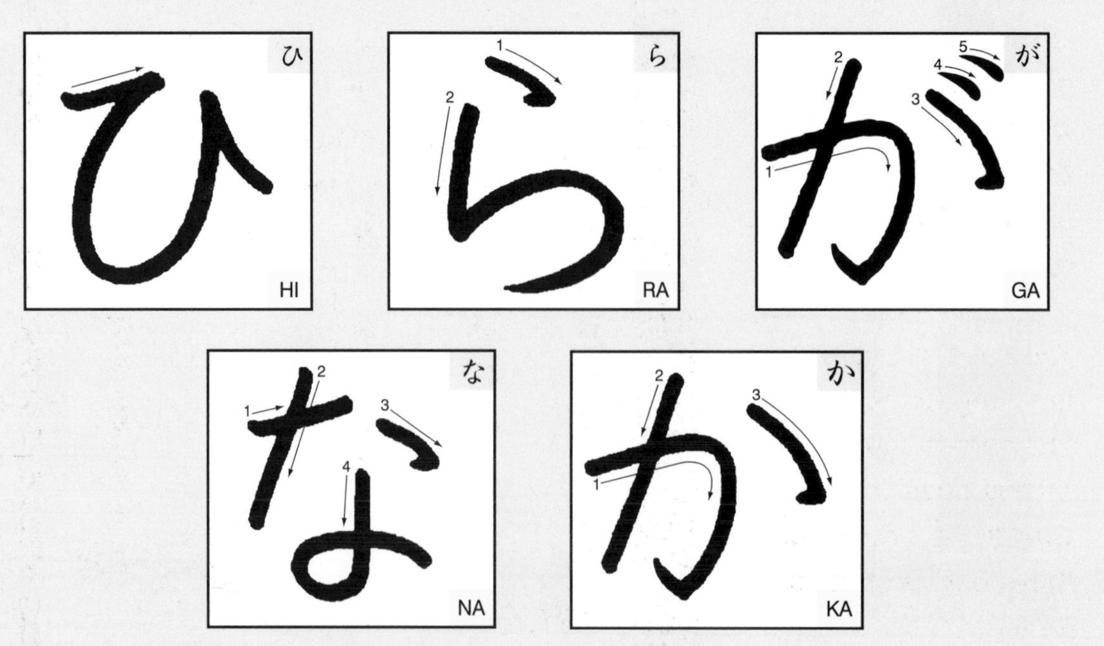

Look at this hiragana practice page from a workbook. How much can you read? You can probably guess what the words なまえ and せんせい mean.

いま！
なまえ：Ivan Ewpenn
せんせい：Ms Douglas
ひらがな

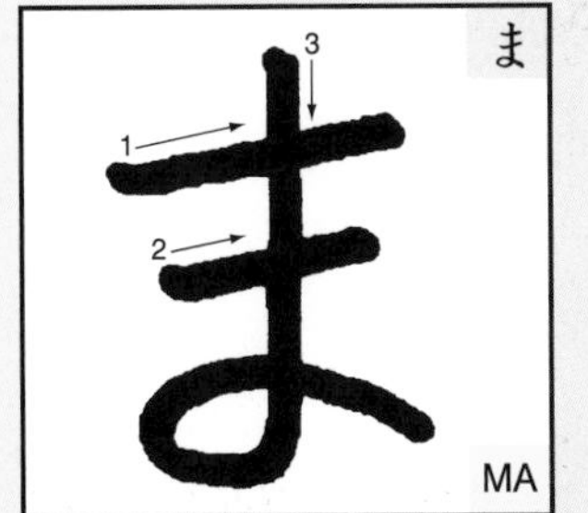

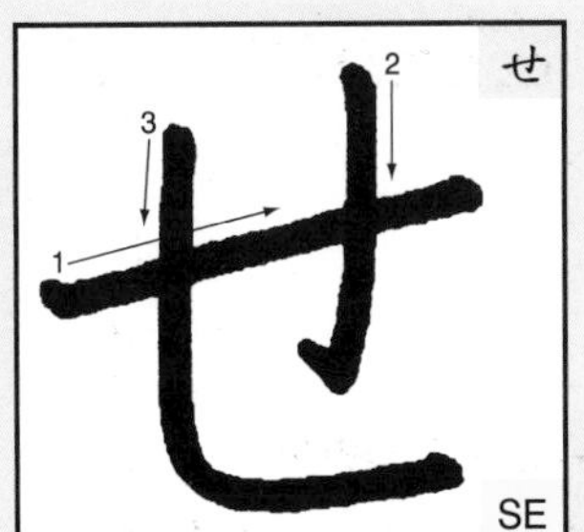

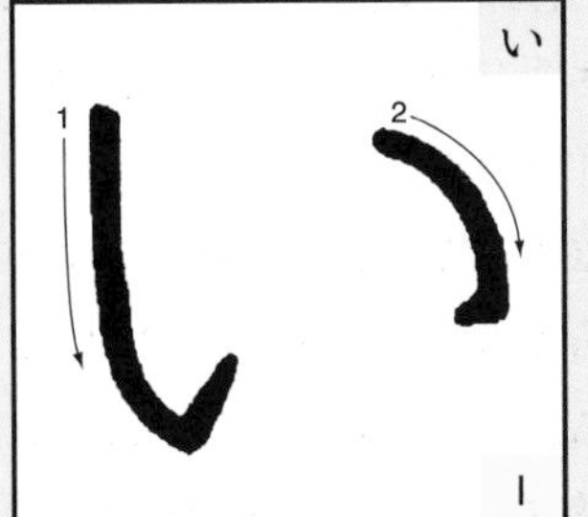

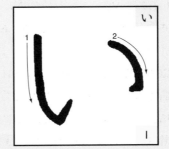

Now that you've worked out that なまえ means *name* and that せんせい means *teacher*, fill in the front page of your workbook with your なまえ and the なまえ of your せんせい. You can call your teacher せんせい too.
You have now learnt ten hiragana letters. They are highlighted on this chart.
Check that you know these before starting ひらがな1.

	a	i	u	e	o
	あ	い	う	え	お
k	か	き	く	け	こ
g	が	ぎ	ぐ	げ	ご
s	さ	し (shi)	す	せ	そ
z	ざ	じ (ji)	ず	ぜ	ぞ
t	た	ち (chi)	つ (tsu)	て	と
d	だ	(ぢ) (ji)	(づ) (zu)	で	ど
n	な	に	ぬ	ね	の
h	は	ひ	ふ	へ	ほ
b	ば	び	ぶ	べ	ぼ
p	ぱ	ぴ	ぷ	ぺ	ぽ
m	ま	み	む	め	も
y	や		ゆ		よ
r	ら	り	る	れ	ろ
w	わ				を (o)
n	ん (n)				

ひらがな１

あさのさんのかぞく　The Asano family

あたらしいひらがな　New hiragana

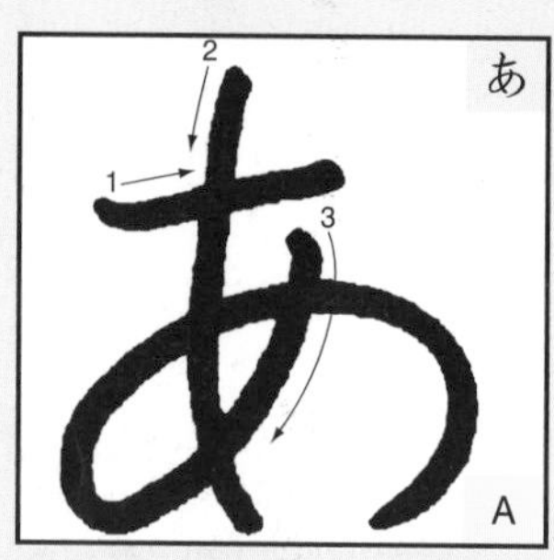

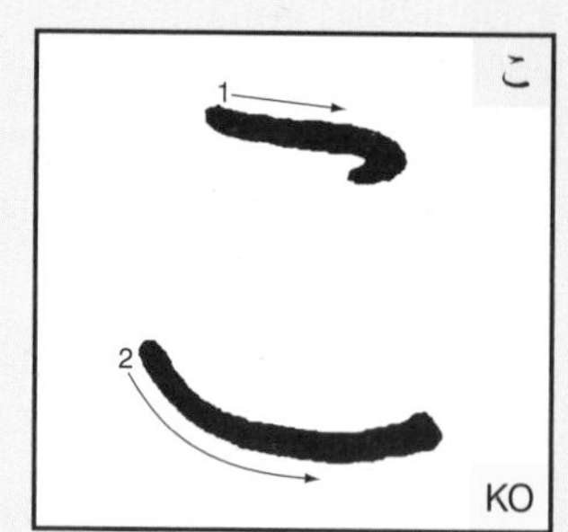

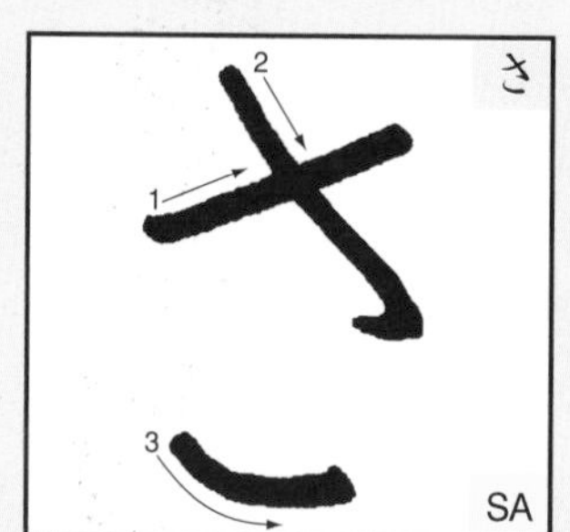

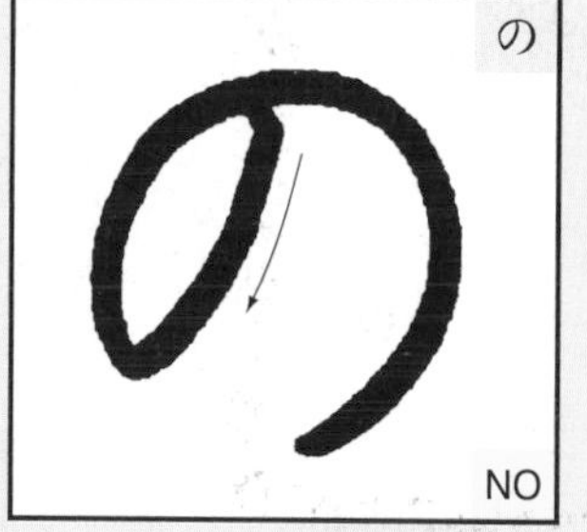

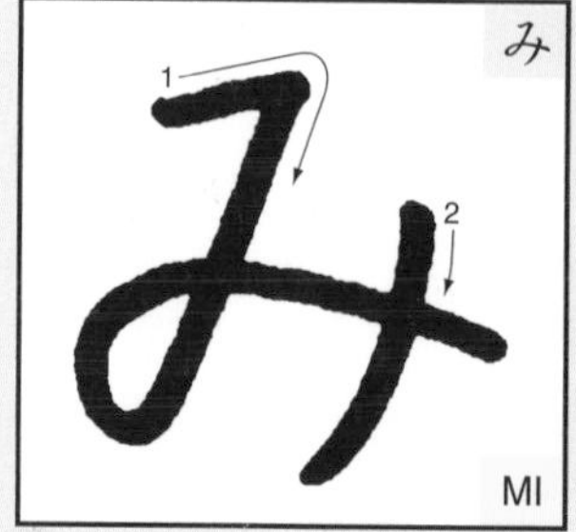

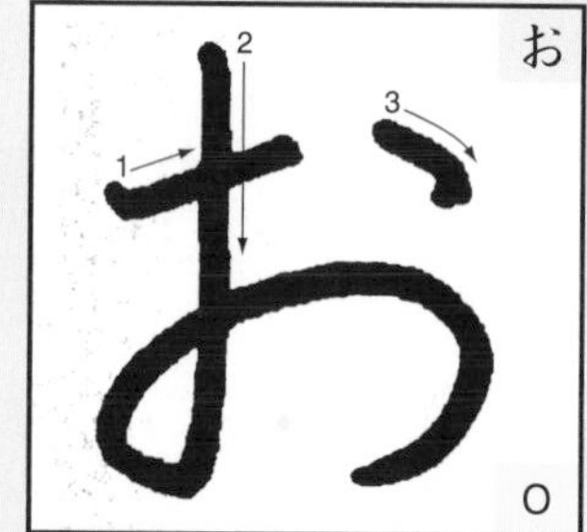

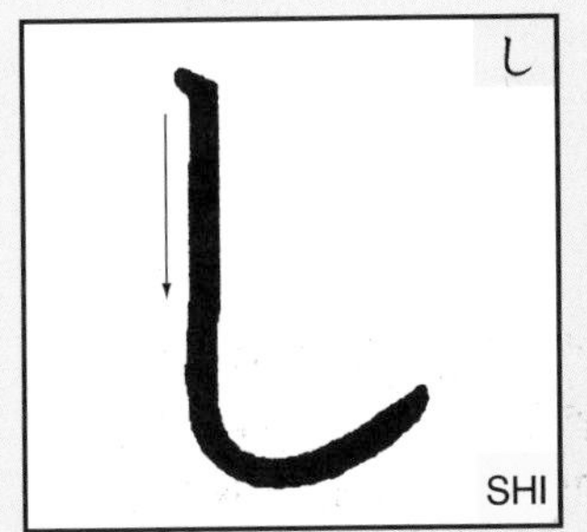

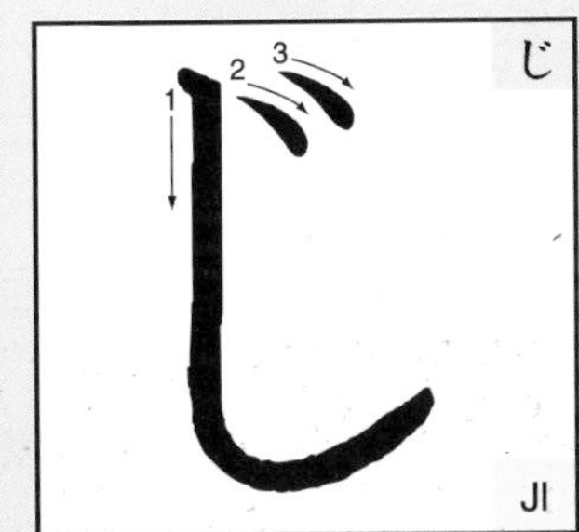

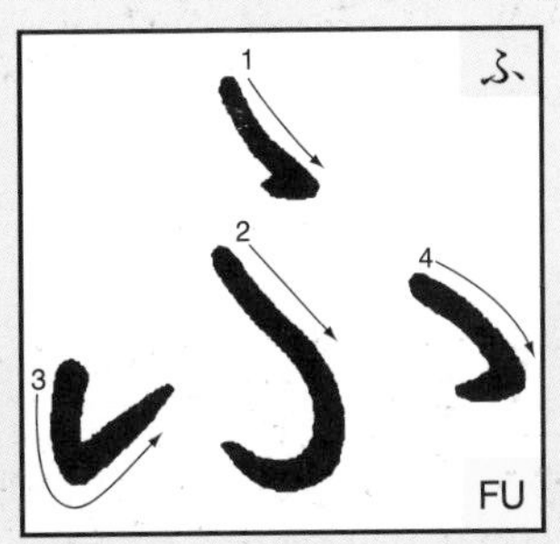

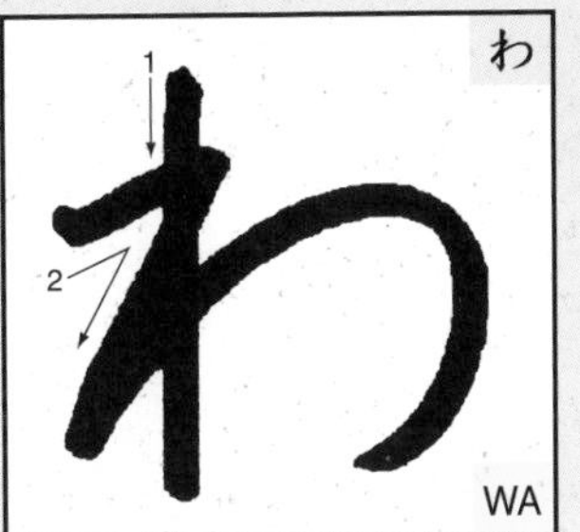

ならったひらがな　Hiragana you now know!

	a	i	u	e	o
	あ	い	う	え	お
k	か	き	く	け	こ
g	が	ぎ	ぐ	げ	ご
s	さ	し (shi)	す	せ	そ
z	ざ	じ (ji)	ず	ぜ	ぞ
t	た	ち (chi)	つ (tsu)	て	と
d	だ	(ぢ) (ji)	(づ) (zu)	で	ど
n	な	に	ぬ	ね	の
h	は	ひ	ふ	へ	ほ
b	ば	び	ぶ	べ	ぼ
p	ぱ	ぴ	ぷ	ぺ	ぽ
m	ま	み	む	め	も
y	や		ゆ		よ
r	ら	り	る	れ	ろ
w	わ				を (o)
n	ん (n)				

いってみよう1

おなまえは？　What's your name?

Answer for the people in the photos.

おなまえは？
あさのみなこです。 or みなこです。

1 あさの　みなこ

2 あさの　まさる

3 あさの　さわこ

4 ならせ　えみこ

5 かわかみ　ひさこ

6 ひがし　せいじ

おなまえは？

まさおです。

みんなで

Ask five people their name using おなまえは？

おなまえは？
Markです。おなまえは？
Sonia です。

よんでみよう

1 Whose book is this?
2 Who is Mr Fujino?
3 What do you think くみ means?

1 Who is the interviewer talking to?
2 What does he ask?

しってる?

なまえ, which you have seen already, simply means *name*. おなまえは? is used when you want to ask someone their name. You can respond to this by giving your name and adding です. です means *it is* or *I am*.
Japanese people will sometimes answer the question おなまえは? by giving their surname followed by their given name. You should give your name in the English order – first your given name and then your family name. If you are in an informal situation, for example with people your own age, just give the name you'd like to be called and then say です.
You may be wondering about は and わ both having the same sound. When the letter は (*ha*) is used as a particle, it is pronounced *wa*. You will learn more about particles and は later.

ひらがな２

すうじ　Numbers

1

5　ご
0　れい
2　に

2

8　はち
4　よん
7　なな
2　に

3

6　ろく
8　はち
3　さん
7　なな

4　よん
0　れい
1　いち
1　いち

れい	0
いち	1
に	2
さん	3
し、よん	4
ご	5
ろく	6
しち、なな	7
はち	8

あたらしいひらがな New hiragana

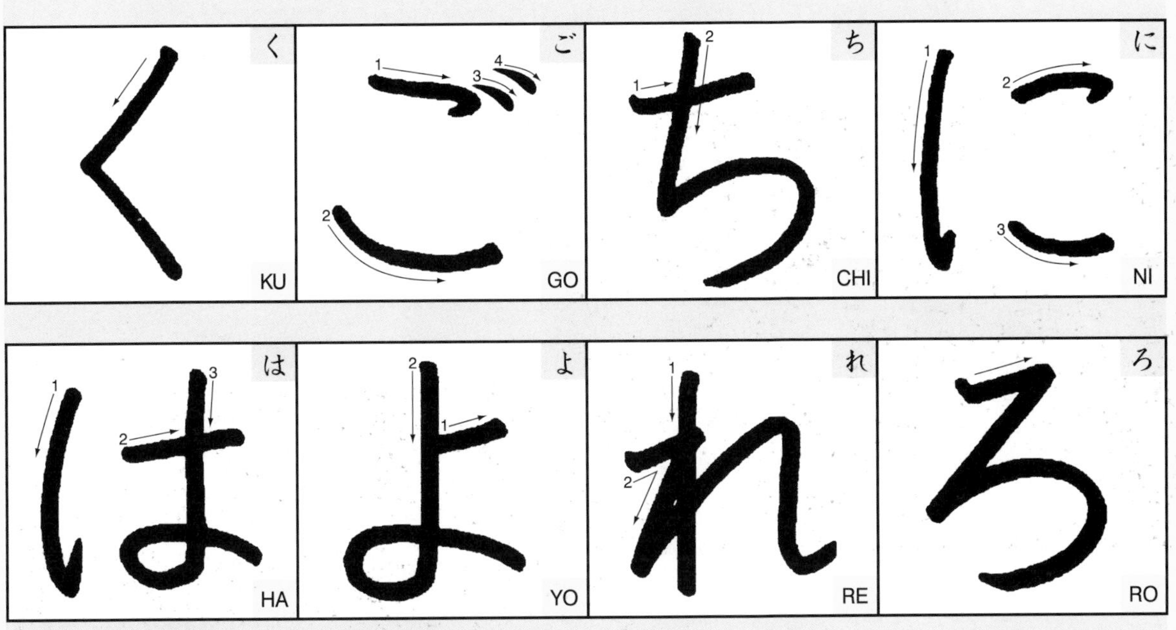

ならったひらがな Hiragana you now know!

	a	i	u	e	o
	あ	い	う	え	お
k	か	き	く	け	こ
g	が	ぎ	ぐ	げ	ご
s	さ	し (shi)	す	せ	そ
z	ざ	じ (ji)	ず	ぜ	ぞ
t	た	ち (chi)	つ (tsu)	て	と
d	だ	(ぢ) (ji)	(づ) (zu)	で	ど
n	な	に	ぬ	ね	の
h	は	ひ	ふ	へ	ほ
b	ば	び	ぶ	べ	ぼ
p	ぱ	ぴ	ぷ	ぺ	ぽ
m	ま	み	む	め	も
y	や		ゆ		よ
r	ら	り	る	れ	ろ
w	わ				を (o)
n	ん (n)				

いってみよう2

さわこさんはなんさいですか。 How old are you, Sawako?
How old is Sawako?

2
さわこさんはなんさいですか。
13さいです。

みんなで

Ask five people their ages. Be ready to give your age too.

〜さい	〜years old
いっさい	one
にさい	two
さんさい	three
よんさい	four
ごさい	five
ろくさい	six
ななさい	seven
はっさい	eight
きゅうさい	nine
じゅっさい	ten
じゅういっさい	eleven
じゅうにさい	twelve
じゅうさんさい	thirteen
じゅうよんさい	fourteen
じゅうごさい	fifteen

よんでみよう

1 What do you think that さあ means?
2 How old is your せんせい?

しってる?

1 To ask someone their age you can use the expression なんさい, which means *how old?* or *how many years?*. 〜さい after a number means 〜 *years old*. か added at the end of the sentence makes the sentence into a question. Sometimes the pronunciation of a number changes when you add さい. The numbers that change are highlighted (in red) on the list on the opposite page. Your teacher will explain how to read these – don't worry that there are ひらがな that you haven't learnt yet.

2 You can ask Sawako the question さわこさんはなんさいですか directly or you can use it to ask someone else about Sawako's age. You will notice that は is used after the name of the person. は indicates that you are either talking about the person or speaking directly to them. In Japanese it is considered polite to refer to a person by name rather than use the word for *you*.

3 〜さん is a title used after a person's name. It can mean *Mr*, *Mrs*, *Ms* or *Miss*. 〜くん can be used after the names of boys. Sometimes 〜ちゃん is used after the names of smaller children and also by children to refer to friends and close relatives. Don't use any of these titles after your own name when you are talking about yourself.
After a teacher's name, せんせい is used. せんせい is also used after the names of doctors, dentists, lawyers and politicians.

ひらがな

ひらがな 3

いいてんきです。It's nice weather.

あつい	hot
あめ	rain
いい	good
さむい	cold
てんき	weather
ひどい	dreadful, awful

あたらしいひらがな New hiragana

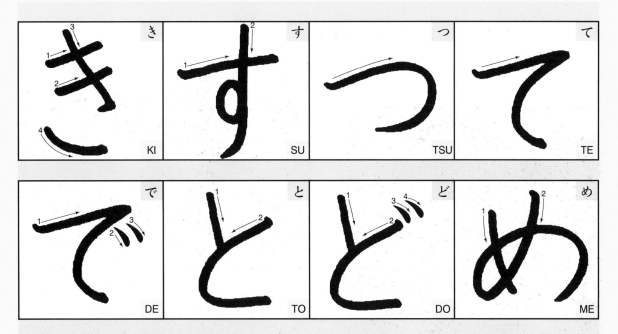

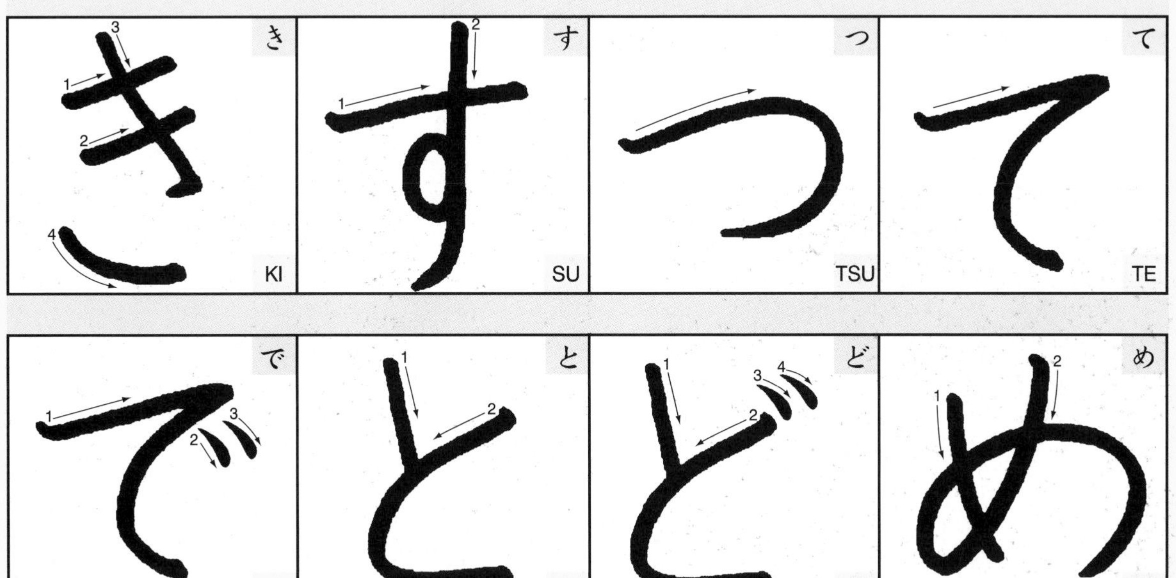

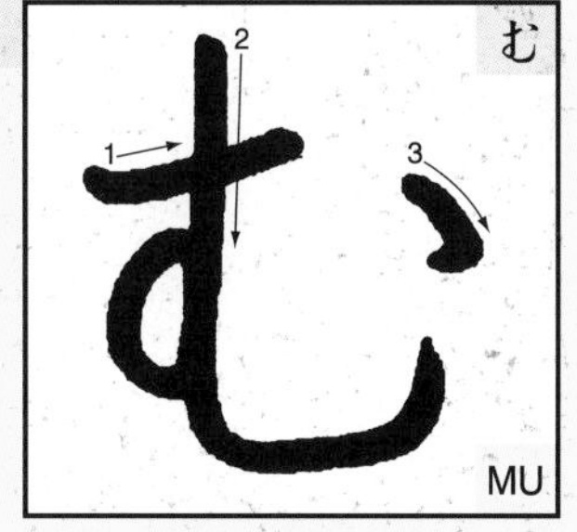

ならったひらがな Hiragana you now know!

	a	i	u	e	o
	あ	い	う	え	お
k	か	き	く	け	こ
g	が	ぎ	ぐ	げ	ご
s	さ	し (shi)	す	せ	そ
z	ざ	じ (ji)	ず	ぜ	ぞ
t	た	ち (chi)	つ (tsu)	て	と
d	だ	(ぢ) (ji)	(づ) (zu)	で	ど
n	な	に	ぬ	ね	の
h	は	ひ	ふ	へ	ほ
b	ば	び	ぶ	べ	ぼ
p	ぱ	ぴ	ぷ	ぺ	ぽ
m	ま	み	む	め	も
y	や		ゆ		よ
r	ら	り	る	れ	ろ
w	わ				を (o)
n	ん (n)				

いってみよう3

ひどいあめですね。 **It's heavy rain, isn't it?**

ひどいあめですね。
そうですね。

いいてんきですね。

あついですね。

さむいですね。

みんなで

ひどいあめですね。
そうですね。

Imagine you and your partner are in the classrooms below and comment on the weather.

いいてんきですね。
そうですね。

よんでみよう

1 What might the girls in this photo say to each other about the weather? Choose their comments from the speech bubbles below. (What do you think そして means?)

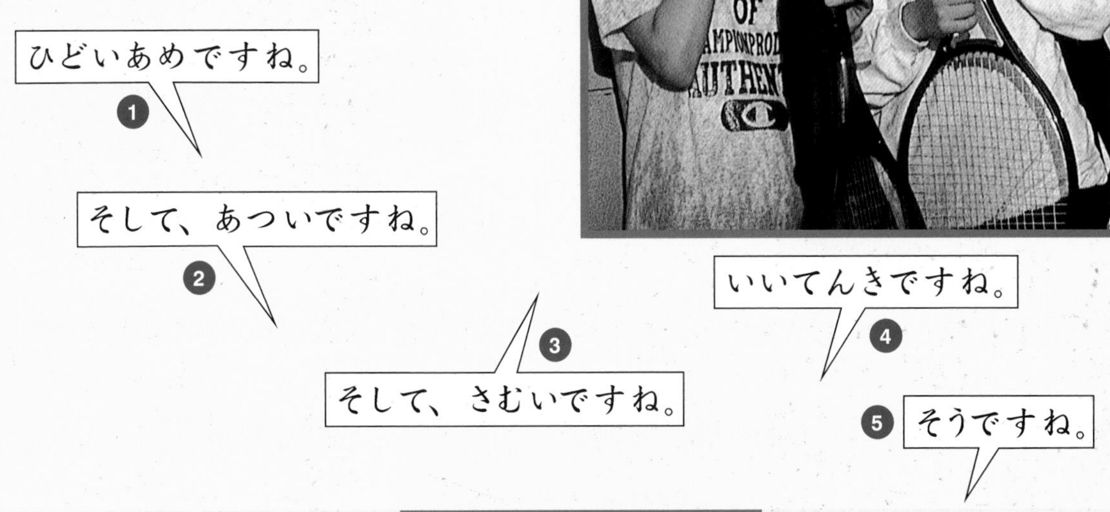

ひどいあめですね。
1
そして、あついですね。
2
3
そして、さむいですね。
いいてんきですね。
4
5
そうですね。

2 This is a postcard that is sent at the start of a particular season. Which season do you think it would be?

しってる?

1 Japanese people often comment on the weather when they meet, just as we ask someone how they are.
When the weather is nice, you can say いいてんきですね (*It's nice weather, isn't it?*). If it is hot, you can say あついですね. The response in these cases is usually to agree, saying そうですね (*It is, isn't it?*).

2 ね at the end of a sentence means *isn't it?*, *aren't you?*, *doesn't it?* etc.

ひらがな

ひらがな4

いろんなもの Various things

ともだち	friend/s
へや	room

あたらしいひらがな　New hiragana

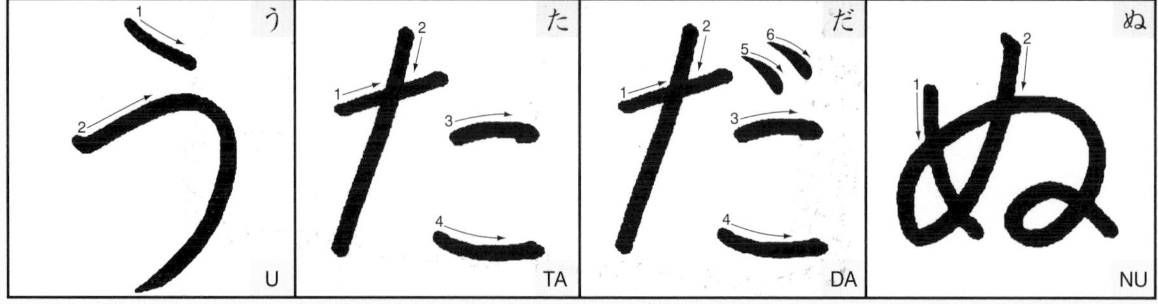

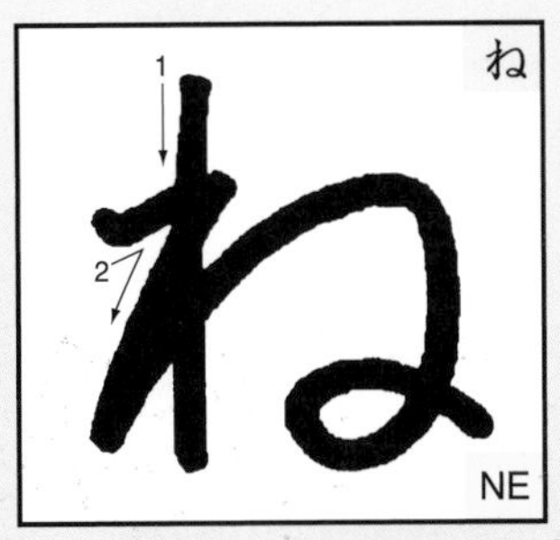

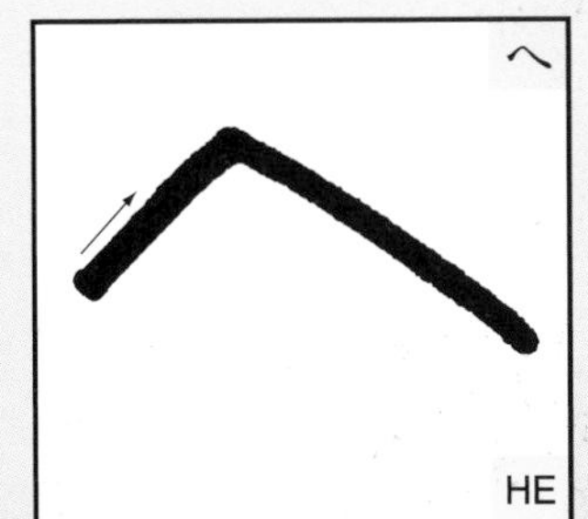

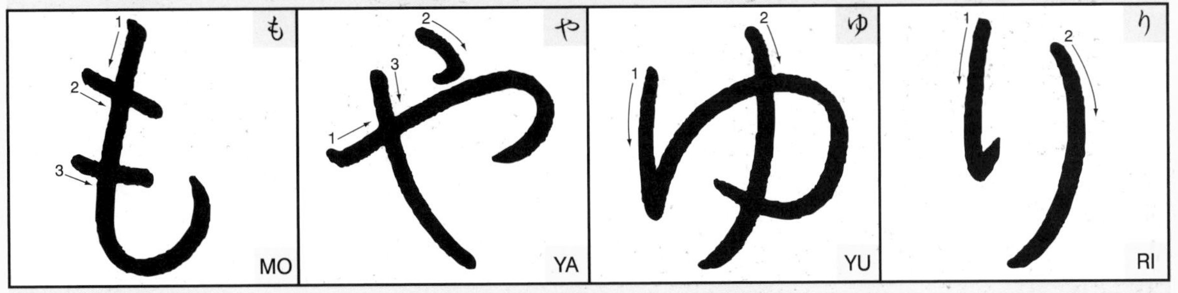

ならったひらがな Hiragana you now know!

	a	i	u	e	o
	あ	い	う	え	お
k	か	き	く	け	こ
g	が	ぎ	ぐ	げ	ご
s	さ	し (shi)	す	せ	そ
z	ざ	じ (ji)	ず	ぜ	ぞ
t	た	ち (chi)	つ (tsu)	て	と
d	だ	(ぢ) (ji)	(づ) (zu)	で	ど
n	な	に	ぬ	ね	の
h	は	ひ	ふ	へ	ほ
b	ば	び	ぶ	べ	ぼ
p	ぱ	ぴ	ぷ	ぺ	ぽ
m	ま	み	む	め	も
y	や		ゆ		よ
r	ら	り	る	れ	ろ
w	わ				を (o)
n	ん (n)				

いってみよう4

これはわたしのいぬです。This is my dog.
このひとは ぼくのともだちです。This is my friend.

1

2

これはわたしのいぬです。
ああ、そうですか。

3

4

このひとはわたしのともだちです。
ああ、そうですか。

いぬ	dog
うち	house, home
このひと	this person
これ	this (thing)
ともだち	friend/s
へや	room
ぼく	I (boy speaking)
ぼくの	my (boy speaking)
ねこ	cat
わたし	I
わたしの	my

5

6

みんなで

Bring a photo to class and explain as much as you can about it. Your classmates may also ask you questions.

これはぼくのいぬです。
なまえは?
なんさいですか。

よんでみよう

Imagine that one of these photos is yours and you are talking about it with a friend. Which of these sentences would you use to describe it?

1. このひとはぼくのともだちです。
2. だいじはおおきいですね。
3. かわいいですね。
4. だいじは3さいです。

A

B

5. なまえはだいじです。
6. そのみさんは13さいです。
7. これはわたしのいぬです。
8. なまえはそのみさんです。

かわいい	cute
おおきい	big

しってる?

1 There are several words in Japanese for *I*. わたし is a good general all-purpose word that everyone uses. When talking casually with family and friends, boys often say ぼく to refer to themselves.

2 の is like *'s* in English. It shows possession and so わたしの~ and ぼくの~ both mean *my* ~.

3 To tell someone *This is my room*, you use the word これ for *this*. However, when you talk about people, you should say このひと (*this person*).

これはわたしのへやです。This is my room.

but

このひとはわたしのともだちです。This (person) is my friend.

4 You'll remember that when you agree with someone you say そうですね (*It is, isn't it?*). When you are told something and you want to say *oh, really? oh, I see, is that right?* you use ああ、そうですか. When you are talking with your friends you can speak more casually and say ああ、そう. These short expressions are used a lot in Japanese, so try to include them in your speech as much as you can.

ひらがな５

えんぴつをかしてください。 Please lend me a pencil.

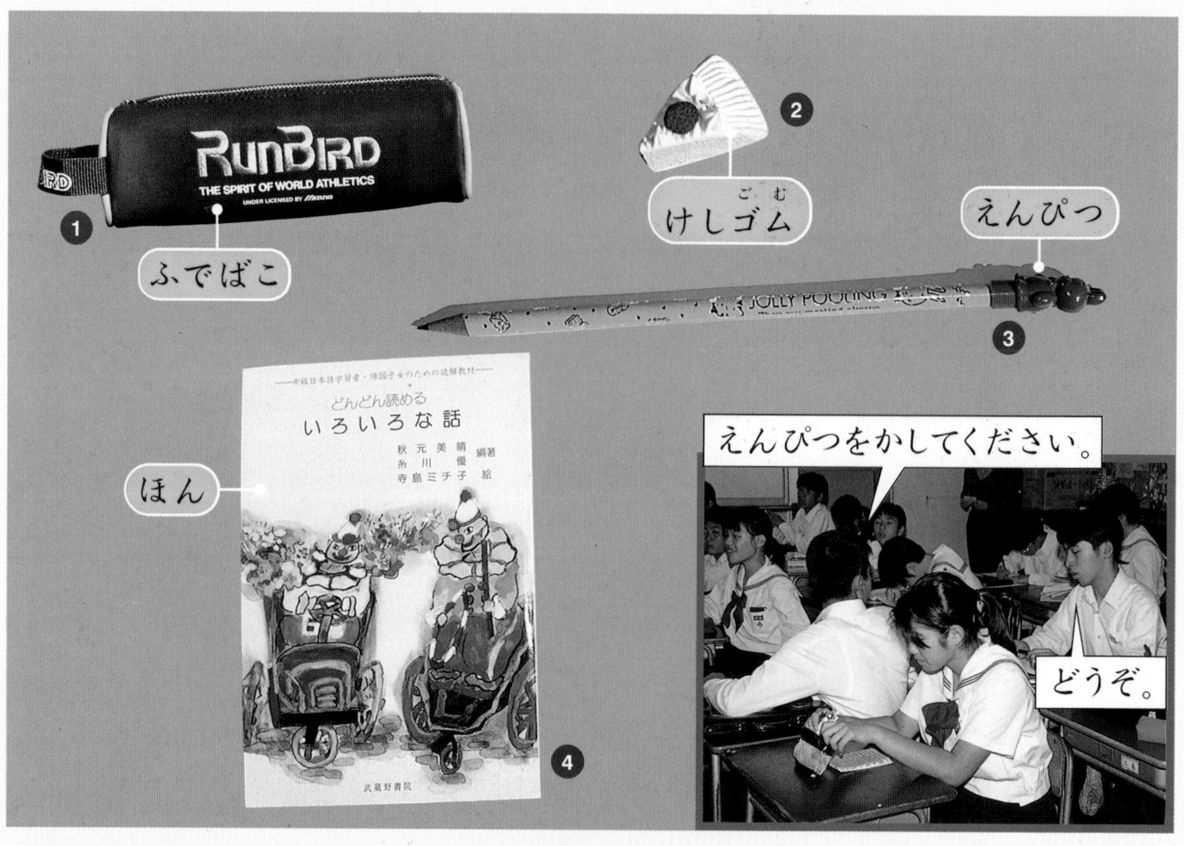

あたらしいひらがな New hiragana

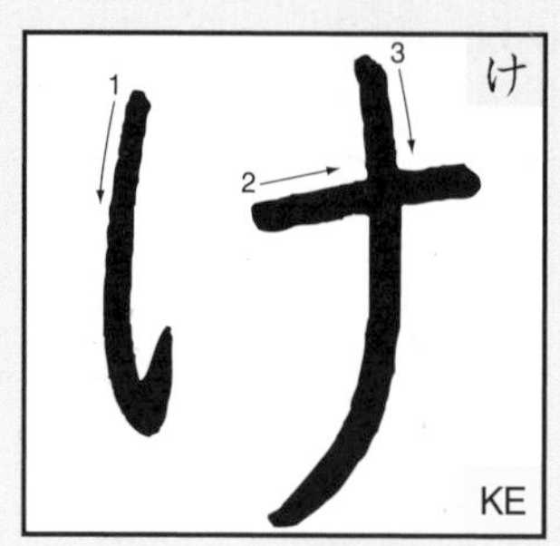

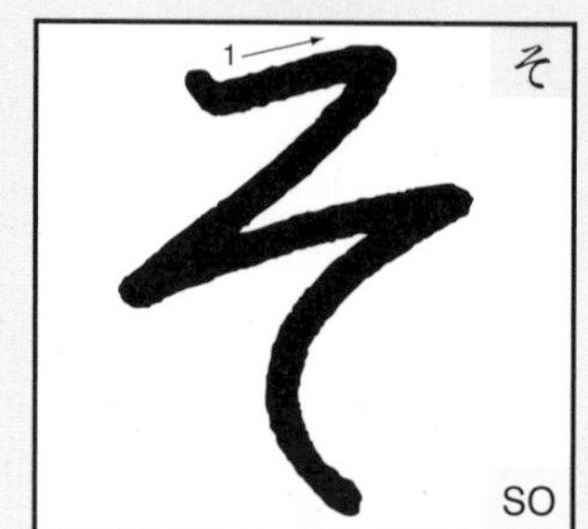

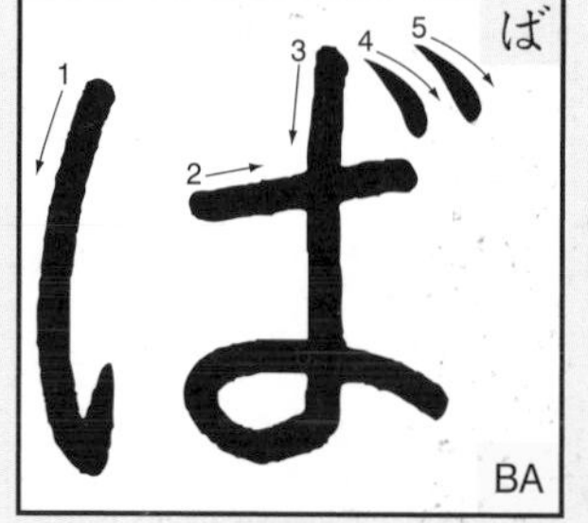

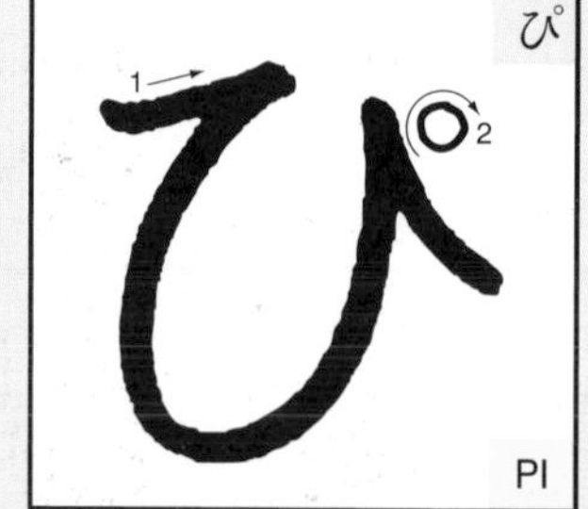

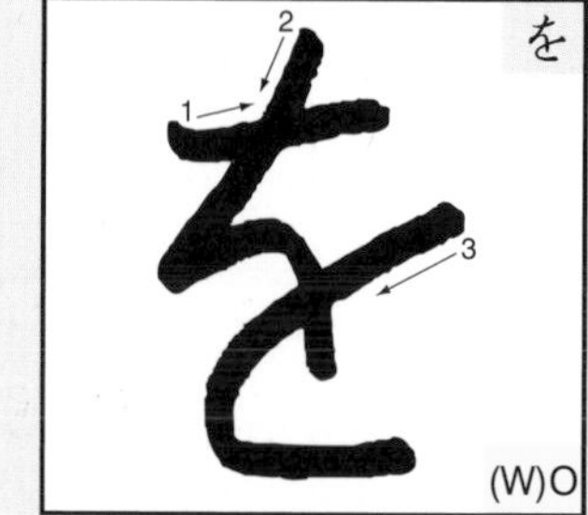

ならったひらがな Hiragana you now know!

	a	i	u	e	o
	あ	い	う	え	お
k	か	き	く	け	こ
g	が	ぎ	ぐ	げ	ご
s	さ	し (shi)	す	せ	そ
z	ざ	じ (ji)	ず	ぜ	ぞ
t	た	ち (chi)	つ (tsu)	て	と
d	だ	(ぢ) (ji)	(づ) (zu)	で	ど
n	な	に	ぬ	ね	の
h	は	ひ	ふ	へ	ほ
b	ば	び	ぶ	べ	ぼ
p	ぱ	ぴ	ぷ	ぺ	ぽ
m	ま	み	む	め	も
y	や		ゆ		よ
r	ら	り	る	れ	ろ
w	わ				を (o)
n	ん (n)				

Congratulations! You have completed the main letters of the ひらがな table. Now you can fill in the gaps. As you know, there are some letters that use ゛(てんてん) to make new sounds, and ゜(まる) is added to はひふへほ to make *p* sounds.

Here is a summary of those changes.

か	き	く	け	こ	+	゛	become	が	ぎ	ぐ	げ	ご
さ	し	す	せ	そ	+	゛	become	ざ	じ	ず	ぜ	ぞ
た	ち	つ	て	と	+	゛	become	だ	(ぢ)	(づ)	で	ど
は	ひ	ふ	へ	ほ	+	゛	become	ば	び	ぶ	べ	ぼ
は	ひ	ふ	へ	ほ	+	゜	become	ぱ	ぴ	ぷ	ぺ	ぽ

(The letters ぢ and づ do exist and are used in specialist readings.)

You now know all the letters on the table!

Sing the ひらがな rap with でぐちせんせい. It's on the いま cassettes.

ひらがな

二十三

いってみよう5

はさみ、かして。 Lend me some scissors.

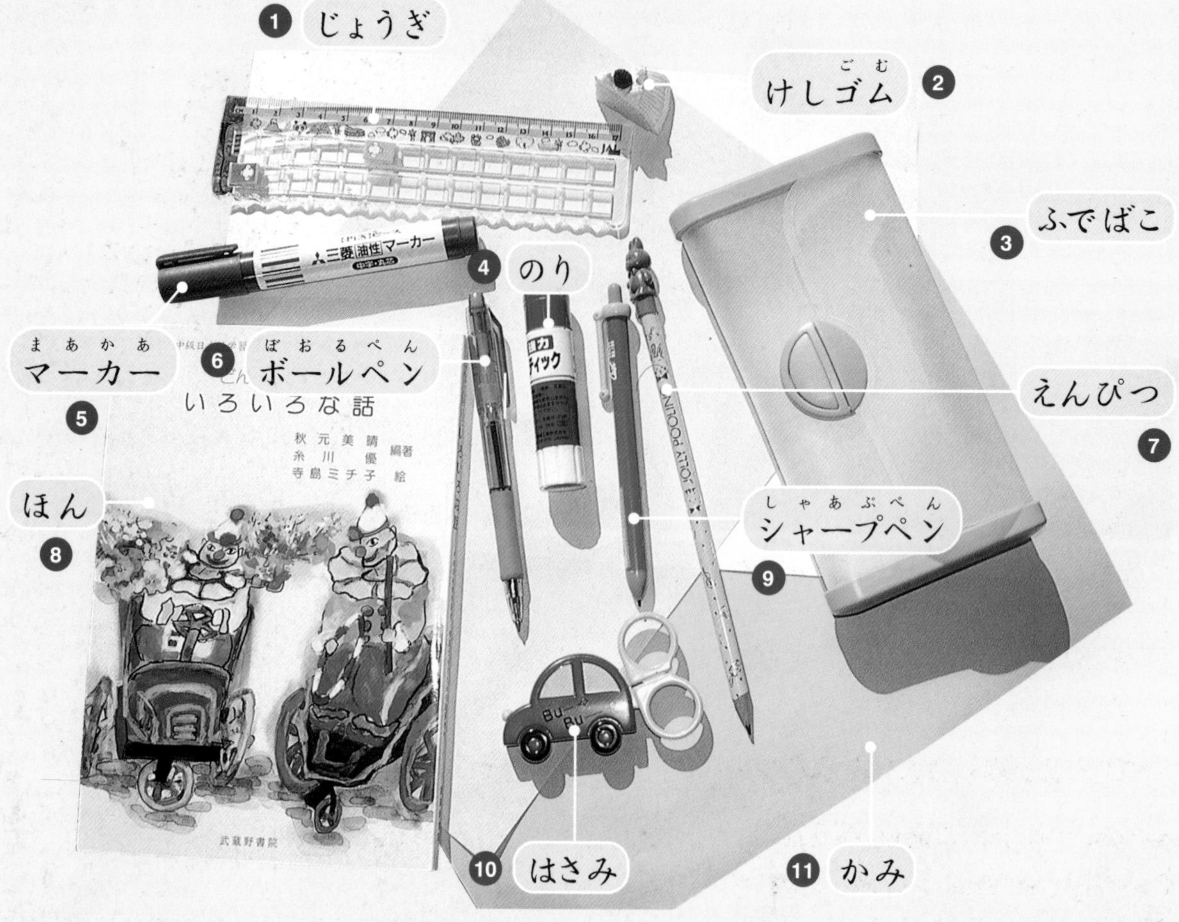

7
えんぴつをかしてください。
どうぞ。
ありがとうございます。

4
のり、かして。
どうぞ。
どうも。

みんなで

Borrow various items from your classmates and せんせい.
Don't forget to say thanks when you return them!

よんでみよう

Read the following conversation, which took place in a classroom.

あつこ　：せんせい、のりをかしてください。
せんせい：どうぞ。
あつこ　：ありがとうございます。
　　　　　みゆきさん、じょうぎ、かして。
みゆき　：どうぞ。
あつこ　：どうも。
　　　　　たけしくん、はさみ、かして。
たけし　：どうぞ。
あつこ　：どうも。
　　　　　さとこさん、みどりのえんぴつ、かして。
さとこ　：どうぞ。
あつこ　：どうも。
せんせい：あつこさん!! なにを…

あつこ　：せんせい、どうぞ。かえるです。
せんせい：どうも。

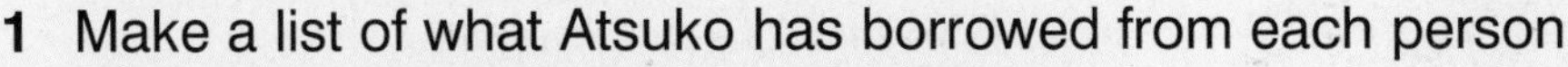

1 Make a list of what Atsuko has borrowed from each person.
2 Why has she borrowed these items?
3 What is a かえる?

みどりの	green
なにを…	what are (you doing)?

しってる?

1 To borrow a pencil from a classmate, you can say えんぴつ、かして. Your friend will of course reply どうぞ (*Go right ahead* or *Here you are*). To ask more formally, for example if you want to borrow your teacher's book, you need to say ほんをかしてください. You should also use this more polite version with people you don't know very well.
Don't forget to put を after the name of the item that you want to borrow. を, like は which you met previously, is a particle. Although を is in the *wo* position on the ひらがな table, it is usually pronounced *o*.

2 どうも is a very casual way of saying thanks. You can say this to friends and people you know well. To say thank you, you need to use a longer and more polite expression, ありがとうございます.
Try using these expressions in class from now on whenever you need to thank せんせい or your friends.

ひらがな6

がくせい Students

1

2

3

4

5

6 9 く／きゅう

7 10 じゅう

8 100 ひゃく

こうこうせい	senior high school student
ちゅうがくせい	junior high school student
しょうがくせい	primary/elementary school student
ようちえんせい	kindergarten student
じてんしゃ	bicycle

あたらしいひらがな

You have already seen how ひらがな uses てんてん and まる to make new sounds. There are three other ways to create new sounds. After you have learnt these, you will be able to write any word in Japanese in ひらがな. Let's look at two of the three ways.

Long vowels

To write words with long vowel sounds you simply write them as you would say them. お か あ さ ん spells out the word for *mother*.

However, long お is usually written with う instead of お. There are a few words that are written with おお and you will need to learn these separately. Fortunately, there aren't many!

Try to read these words aloud.

ああ	ah, oh
おかあさん	mother
いいえ	no
おにいさん	older brother
ゆうたくん	Yuuta (boy's name)
すうじ	numbers
ええ	yeah
おねえさん	older sister
こうこうせい	senior high student
おとうさん	father
どうも	thanks
そうですか	really?
おおきい	big
とおい	far away

い letters and little や, ゆ, よ

When や, ゆ or よ are written at a quarter of their original size and put next to any letter from the い column (き, ぎ, し, じ, に etc.), the result is a new sound using the い column consonant with や, ゆ and よ. The sound is made by not pronouncing the い. This table sets this out for you. Practise reading it aloud.

Take care with しゃ, しゅ, しょ and ちゃ, ちゅ, ちょ.

	や	ゆ	よ
き	きゃ	きゅ	きょ
ぎ	ぎゃ	ぎゅ	ぎょ
し	しゃ	しゅ	しょ
じ	じゃ	じゅ	じょ
ち	ちゃ	ちゅ	ちょ
に	にゃ	にゅ	にょ
ひ	ひゃ	ひゅ	ひょ
び	びゃ	びゅ	びょ
ぴ	ぴゃ	ぴゅ	ぴょ
み	みゃ	みゅ	みょ
り	りゃ	りゅ	りょ

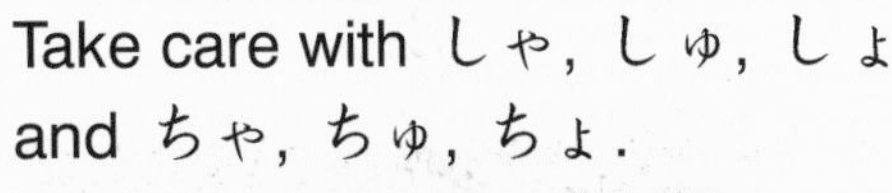

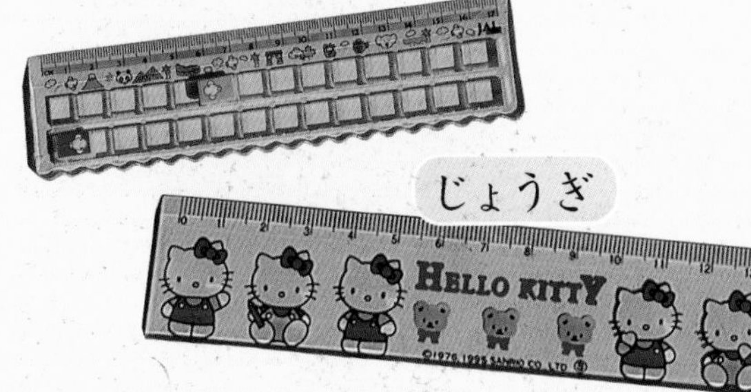

じょうぎ

いってみよう6

さわこさんはこうこうせいですか。

Is Sawako a senior high school student?

Sawako, are you a senior high school student?

さわこさんはこうこうせいですか。
いいえ、ちゅうがくせいです。

2 けんいちくんはこうこうせいですか。
はい、こうこうせいです。
or
ええ、そうです。

みんなで

Imagine that you have become friends with one of the students pictured on the opposite page. Introduce your new friend to a classmate.

このひとはわたしのともだちです。
さわこさんです。
さわこさんは13さいです。
ちゅうがくせいです。

よんでみよう

How much do you know about this person? Read her introduction and then write three to four sentences about her in your notebook.

わたしのなまえはまみです。
ななさいです。
しょうがくせいです。
これはわたしのじてんしゃです。
あたらしいです。

あたらしい	new

しってる？

1 If you aren't sure about whether a student, for example Sawako, is in senior high or junior high, you can find out by asking さわこさんはこうこうせいですか. You have seen previously how this style of question can be used to ask someone directly or to ask about someone. So you can use the above question to ask Sawako directly or to ask someone else about her.

2 はい means *yes*, ええ means *yeah* and いいえ means *no*.

ひらがな

ひらがな 7

がっこうで　At school

すわってください。

たって。

ちょっとまって。

がっこう	school
がんばって（ください）	hang in there! try hard!
すわって（ください）	sit down
たって（ください）	stand up
ちょっとまって（ください）	wait a minute

あたらしいひらがな

You have already learnt two of the three ways to create new sounds. So far you can read complicated words like ちゅうがくせい. Now look at reading a word like ちょっと, which means *a bit*.

Double consonants

To write words that have double consonants, you use little っ for the letter that is being doubled. It is like inserting a beat into the word. Try reading aloud the following words, and clap where little っ appears. For example:

たって　　　た—clap—て

You should be able to hear the consonant sound that is being repeated. In the example that you have just done, the sound is of course *t*.

		Try these two also:	
すわって	ゆっくり	げっぷ	burp
まって	がっこう	しゃっくり	hiccup
がんばって	ちょっと		

Practise reading these words.

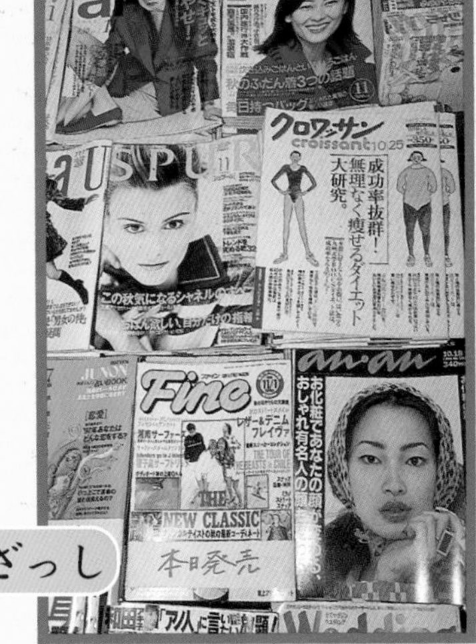

いってみよう7

たって！ Stand up!

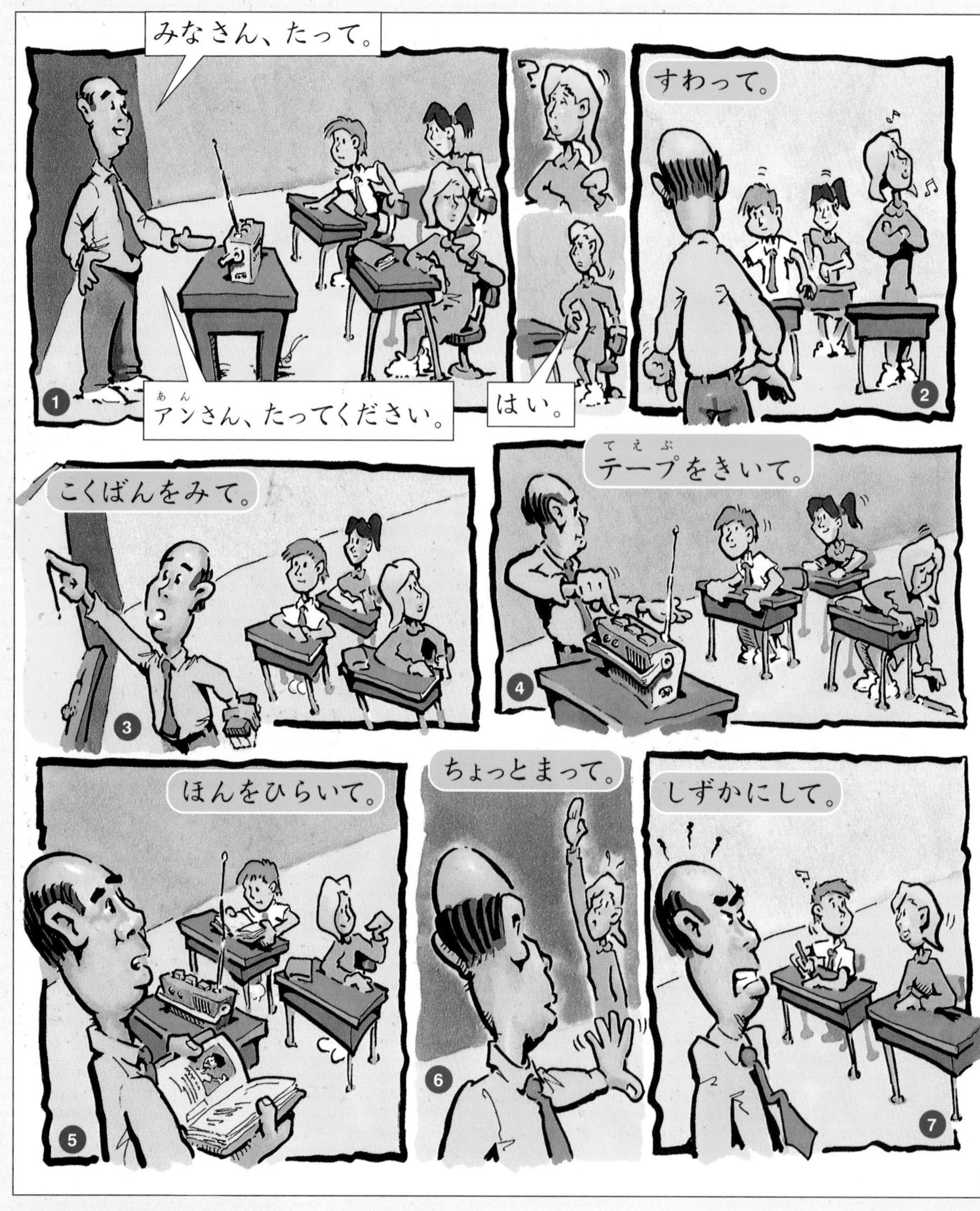

みなさん、たって。
はい。

あんアンさん、たってください。
はい。

こくばんをみて	look at the board
しずかにして	be quiet, do it quietly
てえぷテープをきいて	listen to the tape
ほんをひらいて	open your book

みんなで

Form a group and take turns to be せんせい. Give some classroom instructions to your 'students'.

よんでみよう

ひどいあめですね。
かつひろくん、すわって。しずかにして。
はい。
えみこさん、たってください。
はい。
せんせい ...
あきおくん、ちょっとまってね。
でも、せんせい、みてください。いいてんきですよ。
まって！

1 What have each student and the teacher been asked to do?

2 Explain what has happened in this class.

しってる?

1 The expressions given in いってみよう7 are all instructions for you to follow and use in class. As you saw with かしてください, you can leave off ください when you are talking with your friends.
せんせい will use both たって and たってください but if you ask せんせい to do something, be sure to add ください.

ひらがな 8

てん、まる。Commas and full stops

The two main punctuation marks used in Japanese are the comma, called てん, which looks like this 、and the full stop, called まる, which is written like this 。.

Word spaces

As you have probably noticed, in Japanese writing there are no spaces between words. You may find this tricky at first but if you listen carefully to せんせい speaking and reading aloud to you, you will gradually learn where to take a break! がんばってください。

よこがき、たてがき　Horizontal and vertical writing

Japanese can be written both horizontally and vertically. Vertical writing is called たてがき and it runs from top to bottom and right to left. Books written using たてがき begin where English books end. Horizontal writing is called よこがき. Novels are always written using たてがき. You will see both たてがき and よこがき in newspapers and magazines and, except in Japanese language classes, students usually write their notes in よこがき. See if you can pick out some たてがき and よこがき in the following.

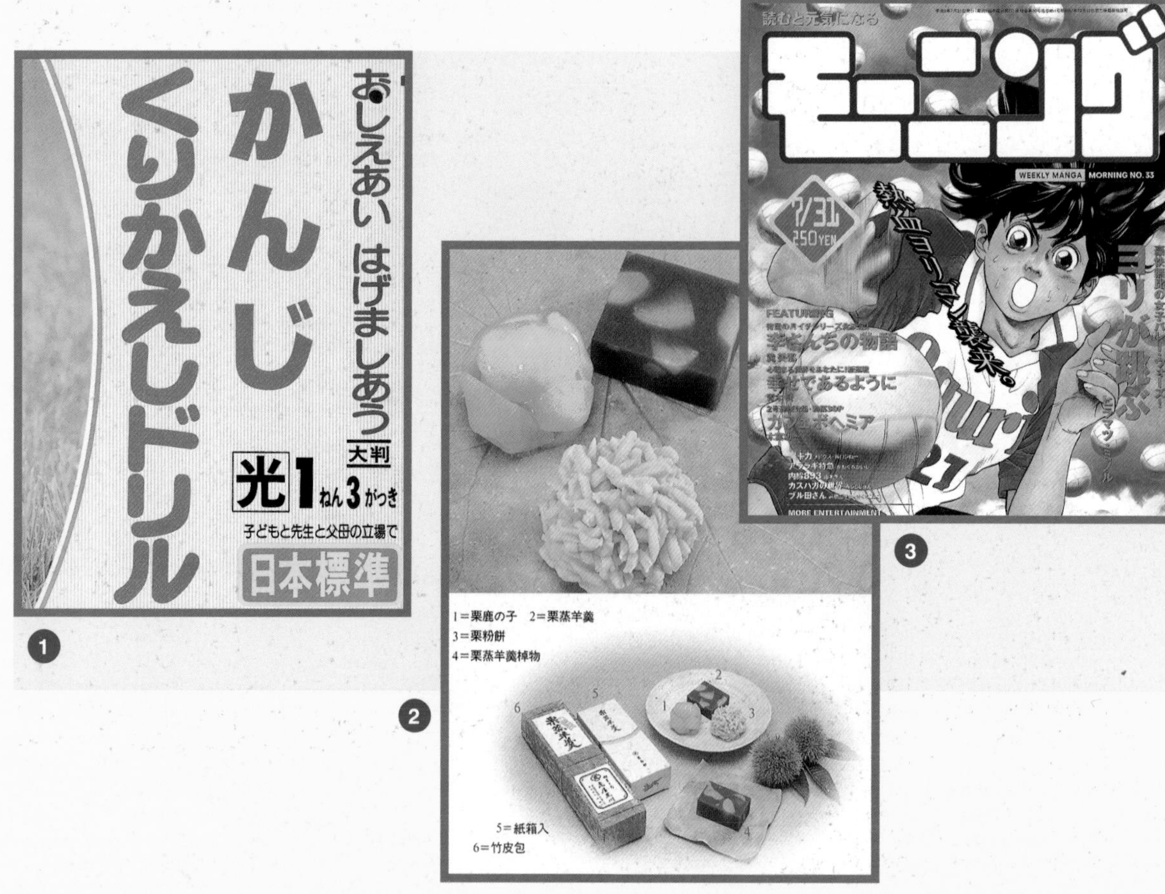

1 2 3

よんでみよう

Read the following names of towns, shops and hotels.

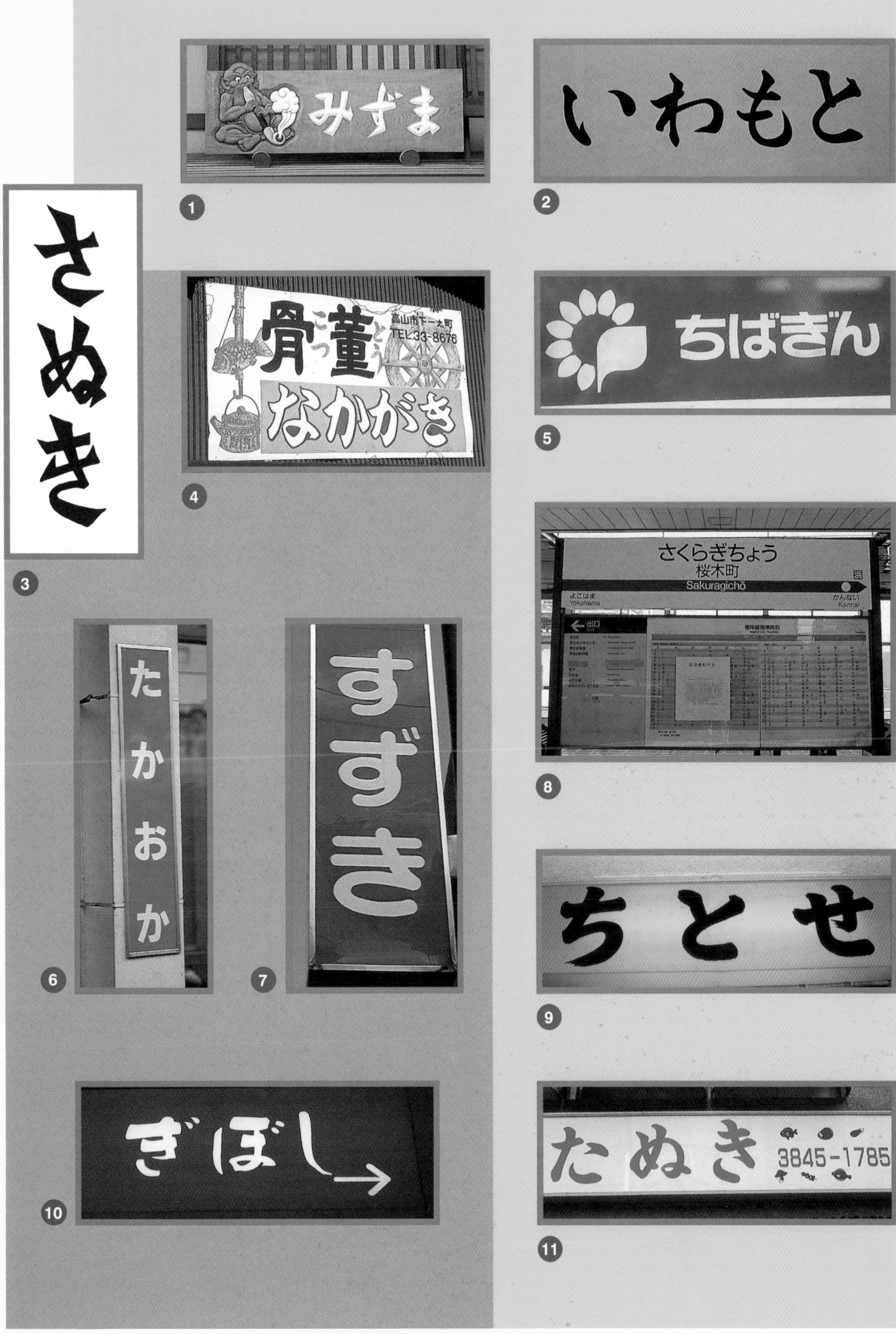

かんじ

Now that you have learnt to read and write ひらがな you are probably feeling pretty good. Well done!
Here's another challenge.
In each chapter of this book there are some new かんじ characters for you to learn to recognise, read and write. As you did with hiragana, practise writing the strokes by tracing over the character with your finger in the order of the little numbers and in the direction shown by the arrows. Count いち, に, さん, し etc. as you trace over the lines. When you've done that, practise writing the characters in your workbook.

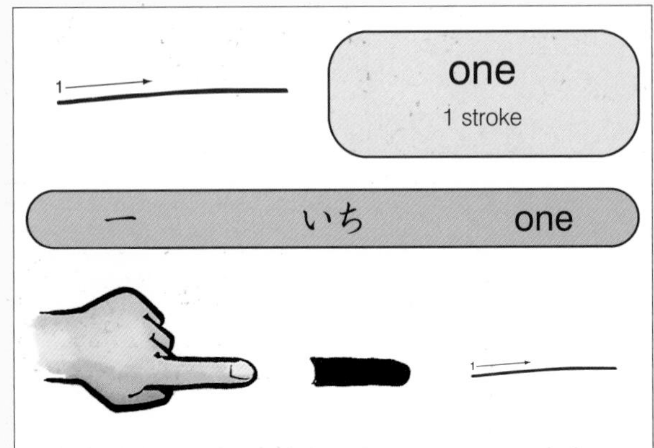

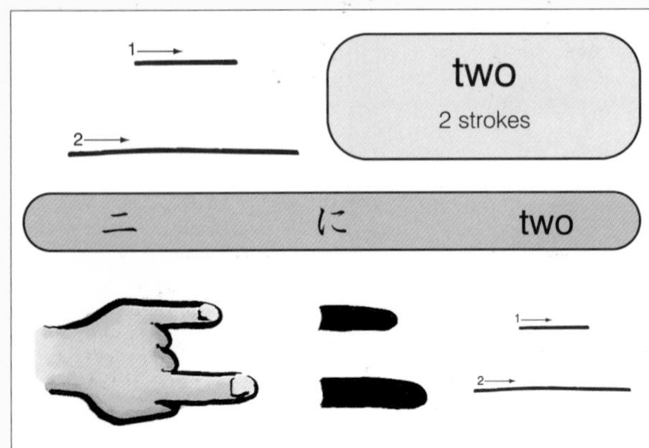

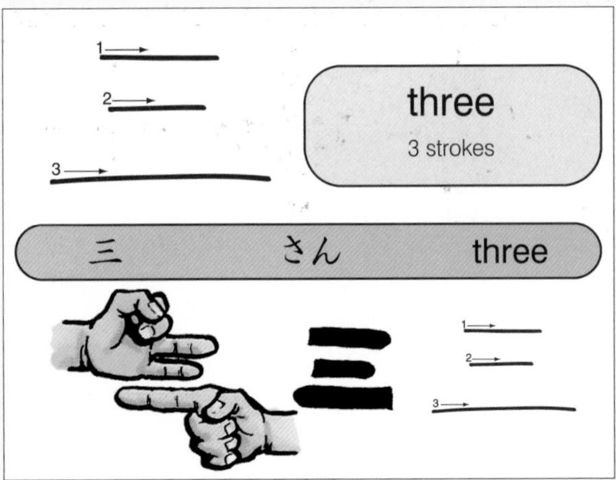

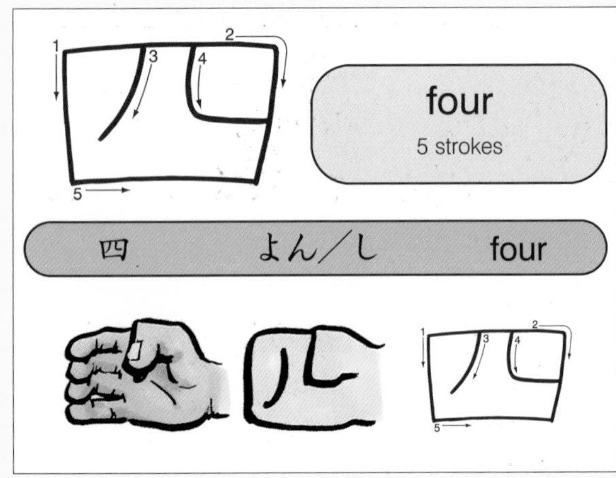

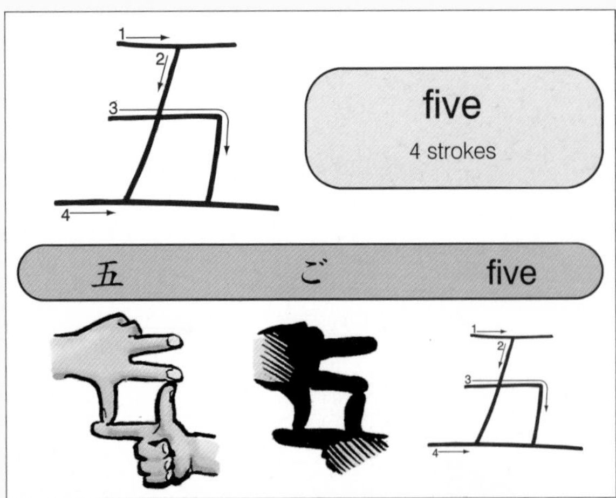

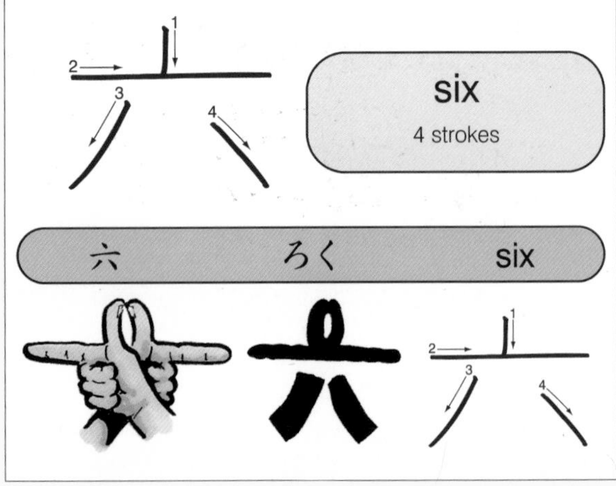

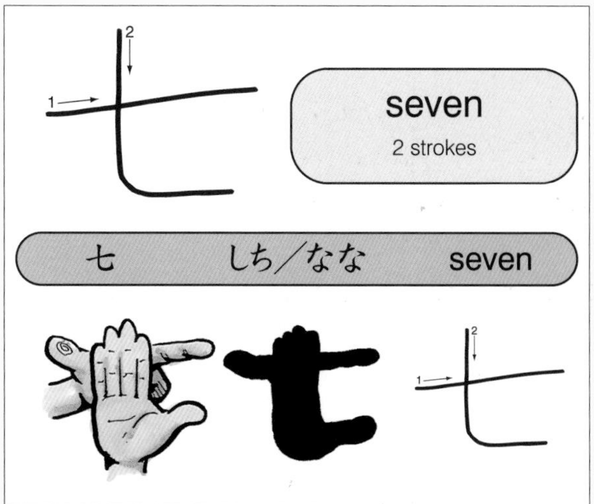
seven
2 strokes
七 しち／なな seven

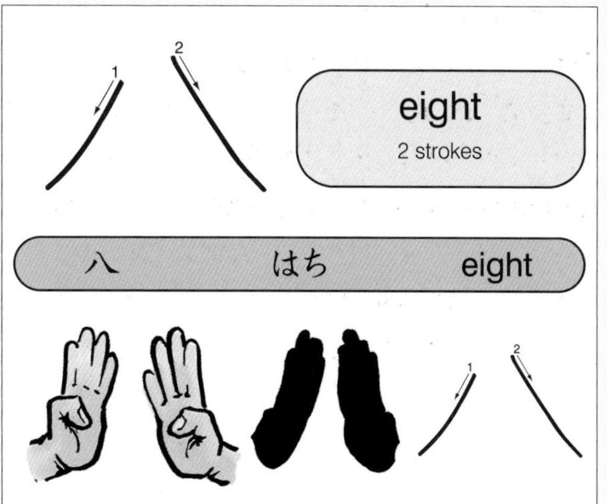
eight
2 strokes
八 はち eight

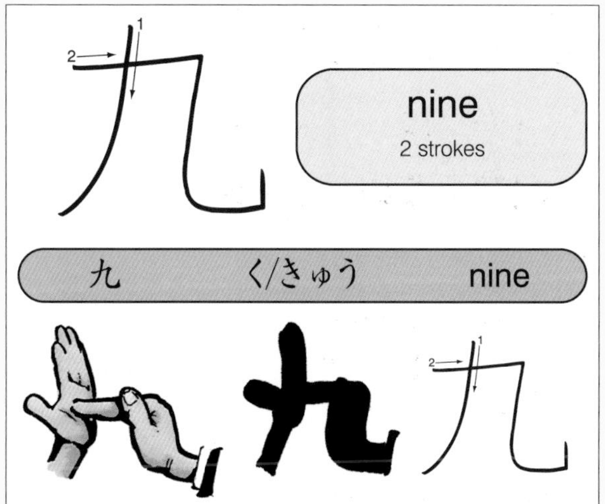
nine
2 strokes
九 く/きゅう nine

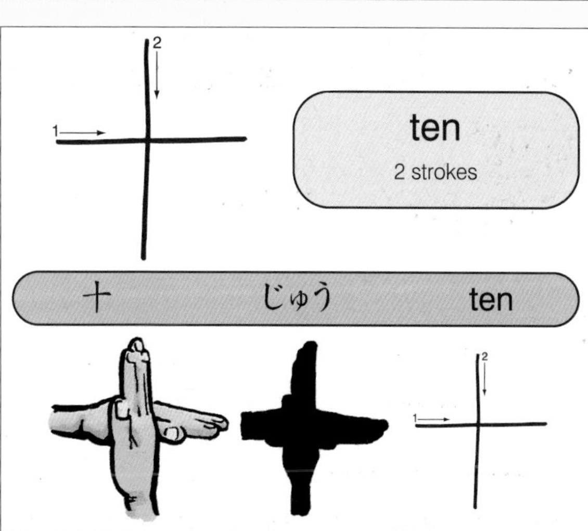
ten
2 strokes
十 じゅう ten

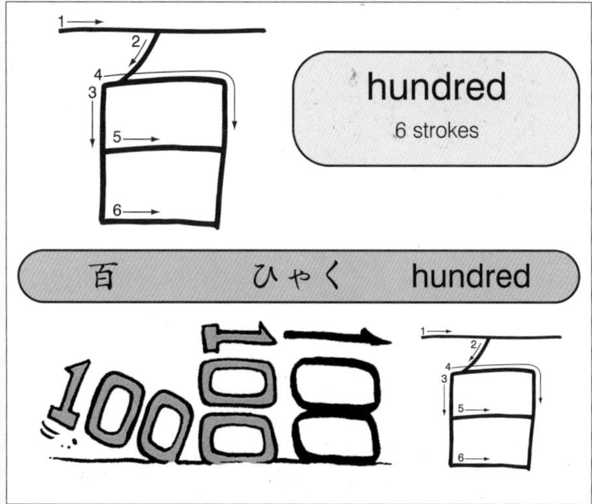
hundred
6 strokes
百 ひゃく hundred
100

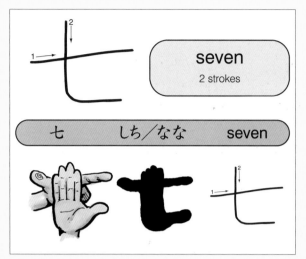

よんでみよう

When Japanese people write horizontally (よこがき) they tend to use arabic numerals, as in 5ページ, but sometimes you will see kanji numbers. Vertical writing (たてがき) always uses kanji numbers. You'll need to be able to recognise them to find pages quickly in your book when せんせい says 5ページをひらいて...
Many people in Japan use a business card, called めいし, which lists their name, position in the company, telephone and fax numbers and perhaps email address. Some めいし are written using よこがき and others using たてがき. On めいし with たてがき, numbers are written in かんじ.
Look at these examples of めいし and signs with たてがき numbers and write the answers to the questions in your notebook.

1 This is the めいし of the principal of Sawako's school. What are the telephone and fax numbers of the school?

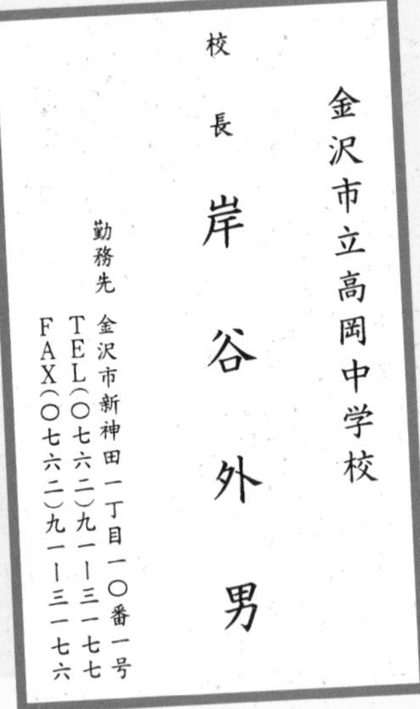

金沢市立高岡中学校
校長
岸谷外男
勤務先
金沢市新神田一丁目一〇番一号
TEL(〇七六二)九一一三一七七
FAX(〇七六二)九一一三一七六

電話東京(〇三)三五九一 {一一一一(大代表) / 八六八〇(直通) / 八一九三(直通)}
FAX(〇三)三五〇七一九七六七

2 This Tokyo office has many phone lines. Their fax number is also here. Write out their phone and fax numbers.

3 This picture gives the price of noodle lunches. Can you work out how much they are? Can you guess what the kanji 円 means?

激安麺
月曜日~金曜日
PM2時~PM5時迄
(下記の金額にてサービス中)
東京ラーメン
九州ラーメン
二九〇円
(100食限定)

4 There are lots of kanji on this advertisement for a tempura lunch. Pick out the kanji that gives the price of the lunch. How much is a lunch here?

夏こそ、
天ぷら。
特選
太刀魚天丼
六九〇円
九州近海産太刀魚
気品ある白い美味
期間限定8/31まで

はじめまして

第一課

Learn how to:

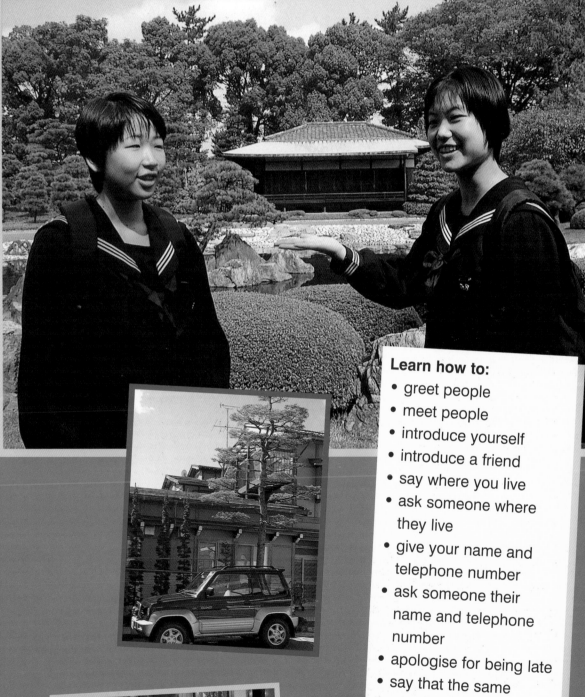

- greet people
- meet people
- introduce yourself
- introduce a friend
- say where you live
- ask someone where they live
- give your name and telephone number
- ask someone their name and telephone number
- apologise for being late
- say that the same applies to you
- confirm information
- correct misheard information
- read and write the kanji
  日 本 語 今

金沢(かなざわ)にすんでいます

これはわたしのがっこうです。
わたしはちゅうがくせいです。

4

これは わたしのうちです。

5

金沢市 玉鉾 2-223
浅野 富治男
三恵子・優・佐和子・三奈子

6

これはわたしのなまえです。
浅野 あ・さ・の
佐和子 さ・わ・こ

このひとは わたしのともだちです。
なまえは ゆきこさんです。
ゆきこさんは 13 さいです。
ゆきこさんも 金沢(かなざわ)にすんでいます。

7

どうぞよろしく。

いってみよう—

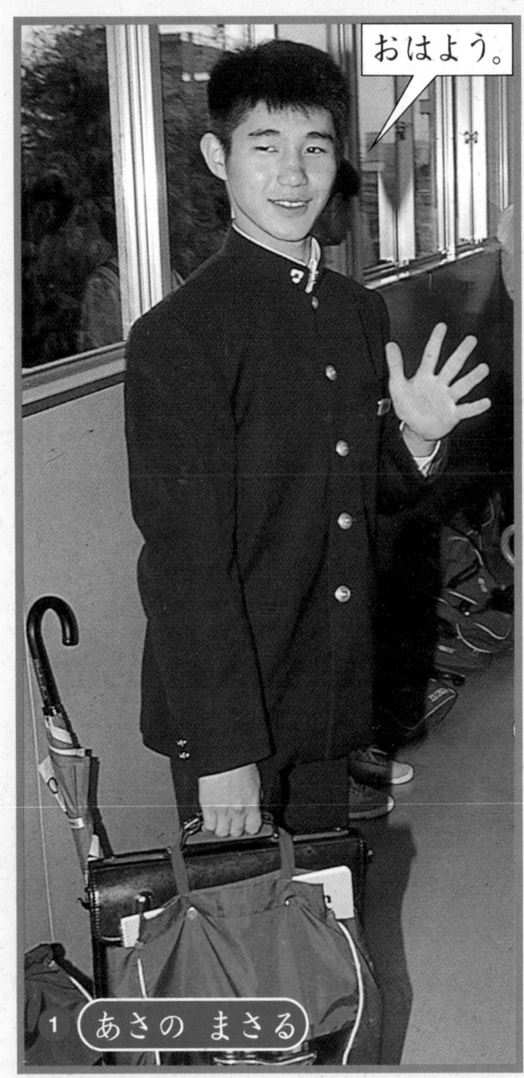
おはよう。
1 あさの まさる

おはよう
ございます。
2 わたなべ みゆき

こんにちは。
3 たけだ みえ

こんばんは。
4 すずき りつこ

はじめまして

第一課

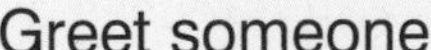

Greet someone

あ、まさるくん。おはよう。

1 おはよう。

Introduce yourself to someone else

1 はじめまして。あさの まさるです。どうぞよろしく。

2 はじめまして。わたなべ みゆきです。どうぞよろしく。

Introduce someone

1 (ともだちの)かおりさんです。

6 なかおか かおりです。どうぞよろしく。

いってみよう二

京都

6

やました だいじろう

492-8744

金沢

1

あさの さわこ

91-3257

東京

2

うえの てつお

3212-4253

長崎

5

いしだ ちえこ

27-4590

大阪

4

たなか まい

263-7954

横浜

3

きむら ゆう

366-0175

さわこさんは どこに すんでいますか。

金沢にすんでいます。

ああ、そうですか。

さわこさんのでんわばんごうは?

91-3257 です。

91-3257 ですね。

はい、そうです。

さわこさんのでんわばんごうは?

91-3257 です。

91-2357 ですね。

いいえ、91-3257 です。

いってみよう三

ゆみさんは なんさいですか。
12さいです。
あ、たかしくんも12さいですね。
そうですね。

ゆみさんは ちゅうがくせいです。すみおくんは?
すみおくんもちゅうがくせいです。
ああ、そうですか。

でんわばんごうは？

きりつ。

れい。

ちゃくせき。

さわこさんの
でんわばんごうは？
きゅう いち の
さん にい ごう ななです。
きゅう いち の
さん にい なな ごうですね。
いいえ、きゅう いち の
さん にい ごう ななです。
おそくなって
すみません。

はじめまして

第一課

かいてみよう

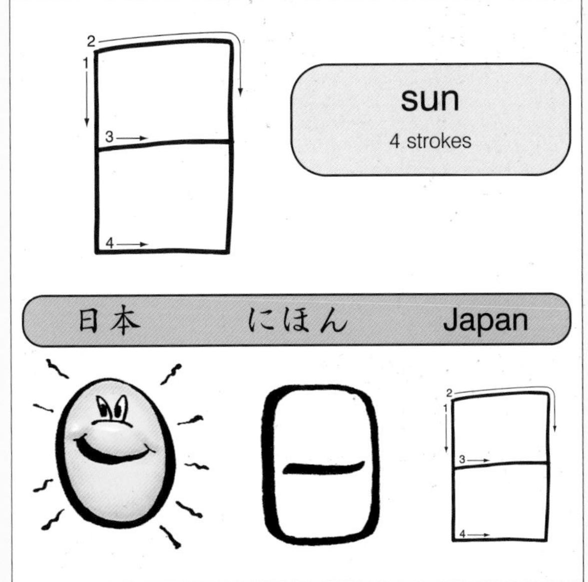

sun
4 strokes
日本 にほん Japan

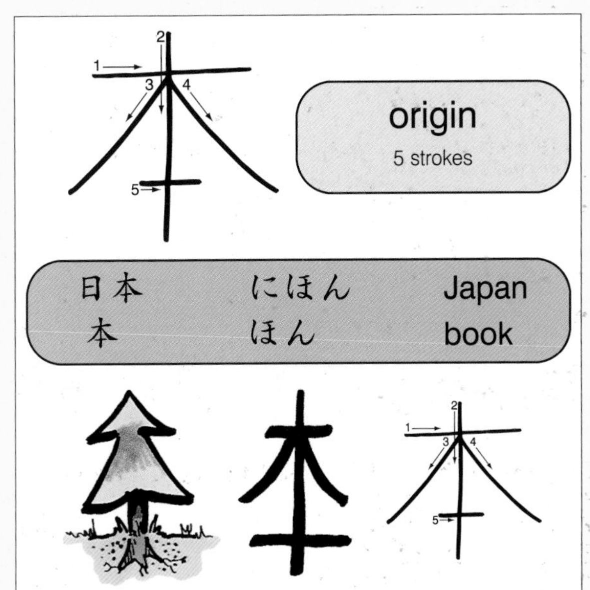

origin
5 strokes
日本 にほん Japan
本 ほん book

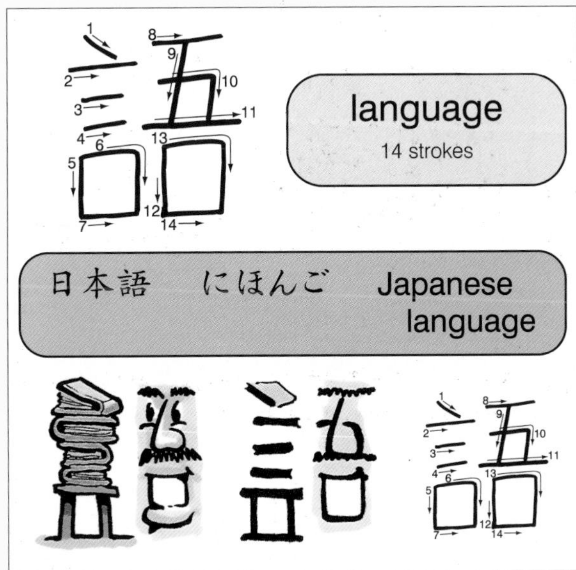

language
14 strokes
日本語 にほんご Japanese language

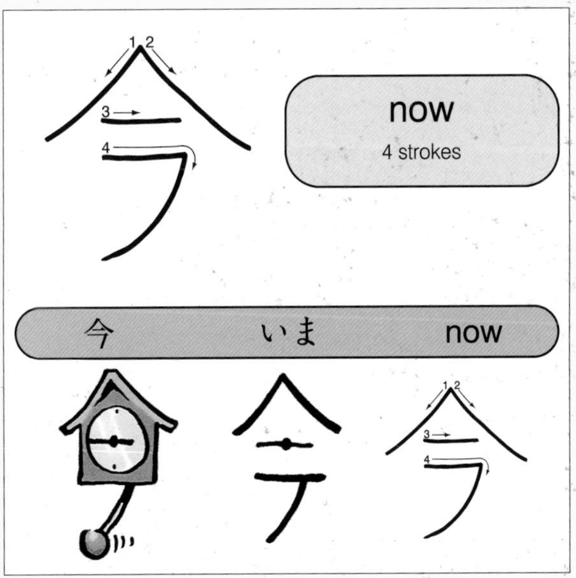

now
4 strokes
今 いま now

ふたりで

はじめまして。 こんにちは。 おはよう ございます。	わたし ぼく	は	さとこ まさき	です。おなまえは?

はじめまして。 こんにちは。 おはよう ございます。	わたし ぼく	は	きみこ たかし	です。

きみこさん たかしくん	は なんさいですか。

わたし ぼく	は	10さい 14さい 16さい	です。

わたし ぼく	はも	10さい 14さい 16さい	です。

ああ、	そう。 そうですか。

きみこさん たかしくん	は どこにすんでいますか。

金沢（かなざわ） 東京（とうきょう） 大阪（おおさか）	にすんでいます。

ああ、	そう。 そうですか。	わたし ぼく	はも	金沢（かなざわ） 東京（とうきょう） 大阪（おおさか）	にすんでいます。

ことば

わたしのでんわばんごうは
512-0989です。

あっ！	oh!
おそくなってすみません	sorry I'm late
でんわばんごう	telephone number
でんわばんごうは？	what's your telephone number?
どうぞよろしく	nice to meet you
どこ	where?
～にすんでいます	(I) live in ～
はじめまして	how do you do?
も	also, too

Greetings and farewells

おはよう	morning!
おはようございます	good morning
おやすみなさい	good night
こんにちは	hello, good afternoon
こんばんは	good evening
さようなら	goodbye
じゃ、また	see you later
バイバイ (ばいばい)	bye

じゃ、また。
バイバイ。

Expressions used in a Japanese classroom

きりつ！	stand!
れい！	bow!
ちゃくせき！	sit!

れい！

はじめまして

第一課

しってる？

1 あいさつ Saying hi! and bye!

Use おはよう to say morning! to your friends and family.
Use おはようございます to greet adults, such as せんせい, or people you don't know very well. You can say おはよう and おはようございます until about 11 a.m. After that you use こんにちは.
If you are a boy and want to greet your friends in the morning, you say おす！(Can you work out where this abbreviated word comes from?)
Use さようなら when you don't expect to see your friends for a while. If you'll be meeting your friends again tomorrow, use じゃ, また or バイバイ(ばいばい).

じゃ、また。
バイバイ。
じゃ、また。

To farewell せんせい, you should say さようなら.
When you use these expressions, you can give a brief nod of your head as you greet a friend, or bow more formally to adults.

2 はじめまして どうぞよろしく Nice to meet you

Say はじめましてand どうぞよろしく when you meet someone for the first time. You should bow when you use these expressions.

3 金沢(かなざわ)にすんでいます。 I live in Kanazawa.

This is how to ask and say where people live:

どこにすんでいますか。
Where do you live?
東京(とうきょう)にすんでいます。
I live in Tokyo.

Don't forget to put に after the name of the place in which you live.

4 しょうかい Introductions

This is how you can introduce your friend Kumiko:

ともだちのくみこさんです。

Kumiko will then take over and say:

すずき くみこです。どうぞよろしく。

ともだちの くみこさんです。
すずき くみこです。どうぞよろしく。

5 さわこさんのでんわばんごうは?
What's your phone number, Sawako?

You'll recall that to find out someone's name, you ask おなまえは?
To ask someone their telephone number, you say でんわばんごうは?
This is how Sawako would give her phone number:

きゅう いち の さん にい ごう なな

When you give telephone numbers you use の for spaces, and you generally say にい and ごう for the numbers 2 and 5. きゅう, なな and よん are also easier to hear and less confusing than く, しち and し.

6 わたしも 13 さいです。
I'm 13 too.

Use the particle も instead of は to say that the same applies to you or someone else. Particle も means *too* or *also*.

わたしは ちゅうがくせいです。
I'm a junior high student.
ともだちのゆきこさんも
ちゅうがくせいです。
My friend Yukiko is too.
or
My friend Yukiko is also a junior high student.

みんなで

1 Introduce yourself, say how old you are and where you live, give your telephone number, then introduce a classmate.

2 Interview three classmates and find out their names, how old they are, where they live and what their telephone numbers are. Pass this information on to someone else.

おもしろい日本

When Shirley and Jack brought back photos of their trip to Japan they also brought back different impressions of the country.

Shirley:

Japan is such a traditional country. I just loved the beautiful temples and the peaceful countryside, and Japanese houses were really special. It was lovely to see people doing traditional things in traditional dress, and the food … from now on I'm going to eat Japanese as often as I can!

Jack:

Japan must be the most modern country in the world. It's pretty Americanised too. Their cities are just huge – they seem to go on forever! It's such a crowded, busy country; people seem to be rushing everywhere. It's very exciting; I'd go back there tomorrow.

1

Look at their photos here and on the following pages. What do you think?

2

はじめまして

第一課

3

4

5

6

7

8

9

10

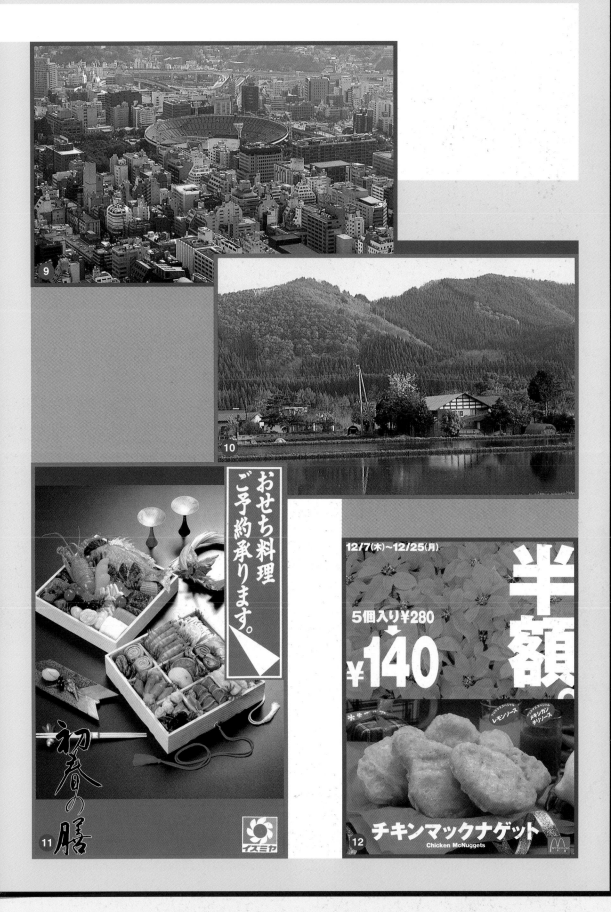

おせち料理
ご予約承ります。

初春の膳

イズミヤ

11

12/7(木)~12/25(月)

半額。

5個入り¥280

¥140

チキンマックナゲット
Chicken McNuggets

12

よんでみよう

1 Miyako is reading out the names of the candidates on these election campaign notices. Their names have ふりがな. See if you can read them too.

①

大出 おおいで

②

③

④

2 Masaru has gone into the shop advertised on this sign. What kinds of things can he buy there?

3 Here are the titles of two dictionaries. One is a dictionary of Japanese culture and the other is a dictionary for students of Japanese language. Can you tell which is which?

わたしのかぞく

第二課

Learn how to:

- introduce your family
- say how many people are in your family
- identify family members
- ask about someone else's family
- say what you like and don't like
- count up to two hundred
- read and write the kanji 父 母 人

Read about some Japanese pop stars.

かぞくのしょうかい

わたしのかぞく

第二課

かぞくを
しょうかいします。
5人かぞくです。
りょうしんと
あにといもうとと
わたしです。母です。
なまえはみえこです。
41さいです。

1

さわこさんのお母さん

さわこさんのお父さん

母はバドミントン(ばどみんとん)がすきです。

2

3

父です。なまえは
ふじおです。
45さいです。
父はきものの
デザイナー(でざいなあ)です。

このざっしのページ(ぺえじ)を
みてください。父です。

ASANO 浅野富治男 FUJIO

椿（つばき）

椿は、晩秋から咲きはじめ、遅いものは四月末まで咲き続けます。
古くから日本に自生したものとしては、薮椿と雪椿が代表とされ、他にも数え切れない程の品種を持っている花です。

多彩な種類はあっても、ブルーの椿がないという話から、肩と裾にさりげなく咲かせてみることに。

父はケーキが
だいすきです。

あにのまさるは
15さいです。
チョコレートがすきです。

あにには
おんがくが
だいすきです。

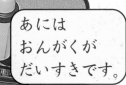

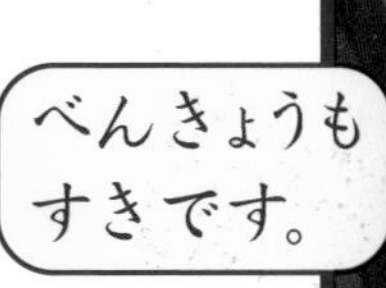

さわこさんのいもうとさん

いもうとのみなこです。みなこはしょうがくせいです。エレクトーン（えれくとおん）がすきです。

8

9

みなこはテレビ（てれび）もだいすきです。

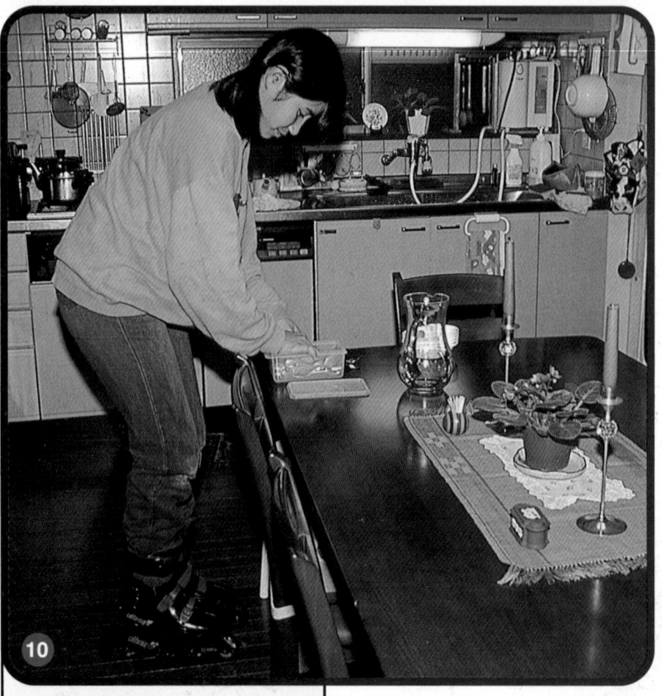

10

そして、わたしです。わたしはローラーブレード（ろおらあぶれえど）がだいすきです。

11

わたしはべんきょうがあまりすきじゃないです。でも、本がすきです。そして、B`Z がだいすきです！

いってみよう—

さわこさんのかぞく

たかしくんのかぞく

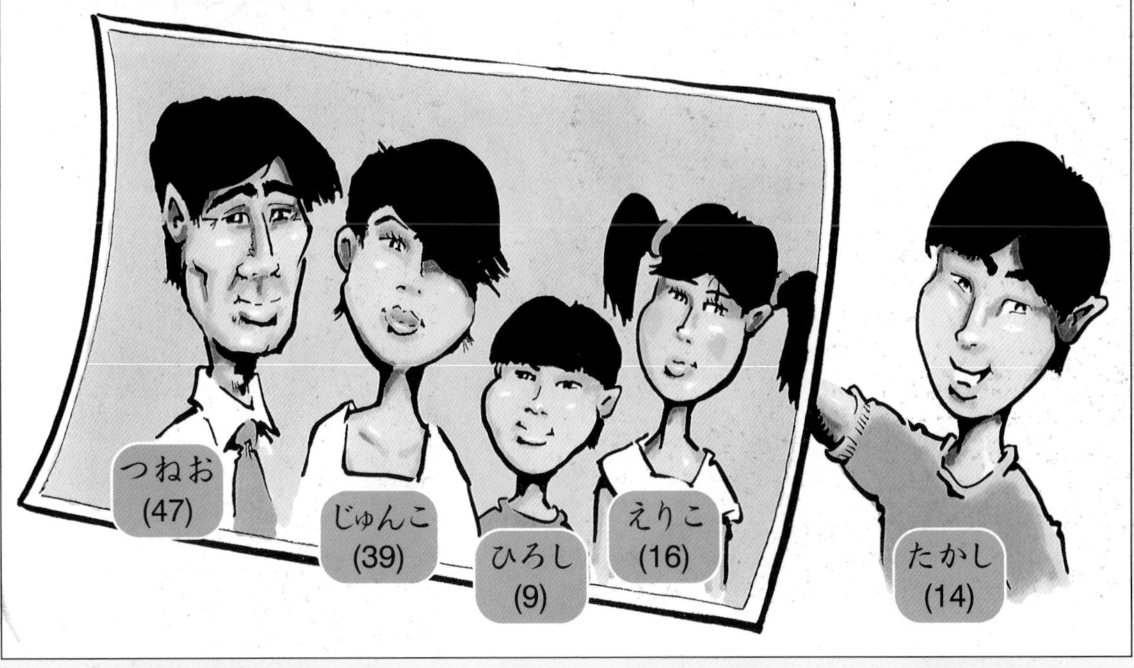

お母さんですか。
はい、母です。

おにいさんですか。
はい、あにのまさるです。

この人は父です。
お父さんはなんさいですか。
父は 45さいです。

いってみよう二

なん人かぞくですか。

5人かぞくです。

ごかぞくはなん人ですか。

5人です。

（まさるくんの） ごかぞくは だれとだれですか。

りょうしんといもうとが2人と ぼくです。

いってみよう三

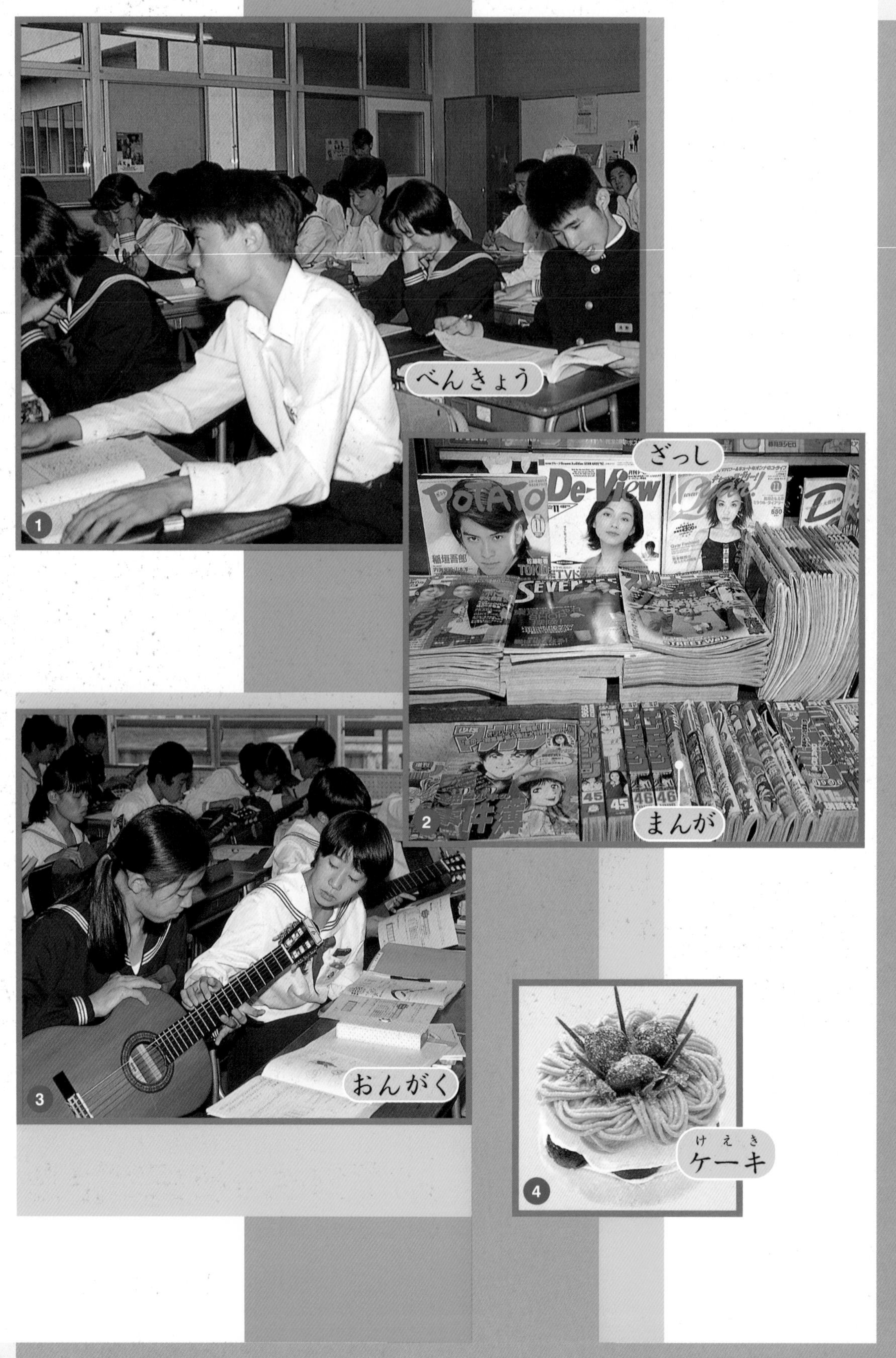

5 ちょこれえと
チョコレート

6 てにす
テニス

7 びでおげえむ
ビデオゲーム

8 ろおらあぶれえど
ローラーブレード

べんきょうがすきですか。

はい、だいすきです。
or
はい、すきです。
or
べんきょうはまあまあです。

べんきょうがすきですか。

いいえ、あまり…
or
いいえ、あまりすきじゃないです。

いってみよう四

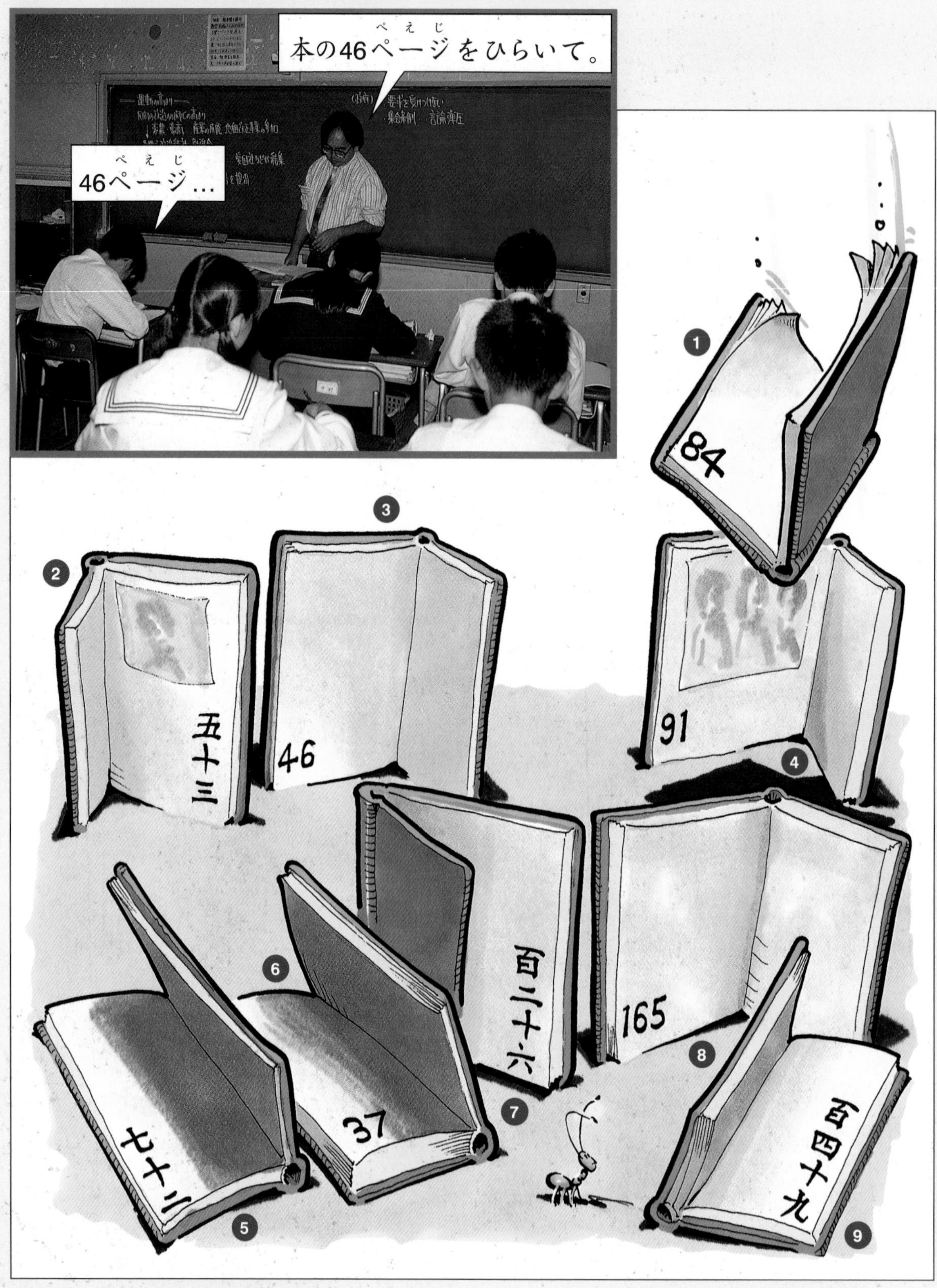

本の84ページをひらいて。

84ページ…

ただいま

いってきます。
いってらっしゃい。
がんばってね。
あさのさわこさんのうちです。

いってきます。
いってらっしゃい。

みなこちゃんはエレクトーン(えれくとおん)が
すきです。でも…

みなこちゃんはテレビ（てれび）が
だいすきです。

まさるのへや
まさるくんはべんきょうが
すきです。でも…

しずかにして。
あっ！
まさるくん、うるさい！

さわこさんは本がすきです。
でも…

あっ！
さわこさん、だめ！

ただいま！

おかえりなさい。

おかえりなさい。

おかえりなさい。

みんないいこね。

そうだね。

かいてみよう

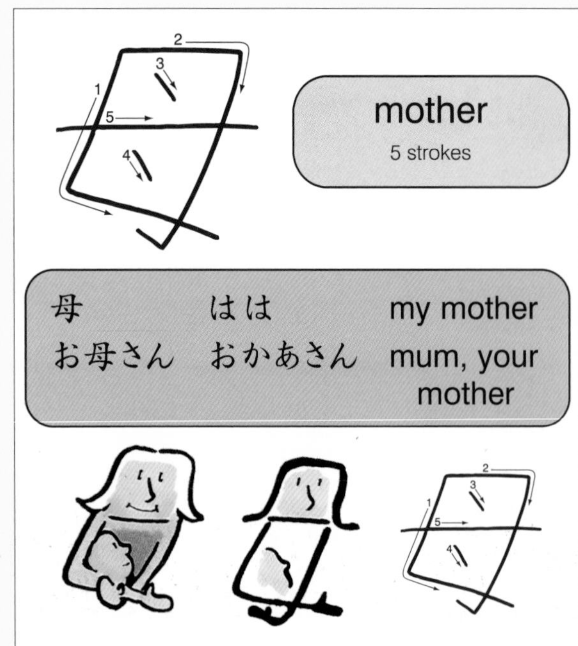

mother

5 strokes

母	はは	my mother
お母さん	おかあさん	mum, your mother

father

4 strokes

父	ちち	my father
お父さん	おとうさん	dad, your father

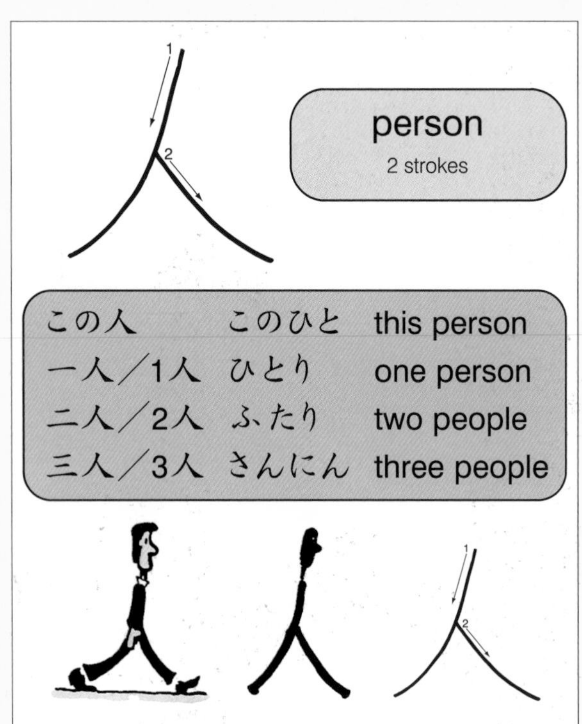

person

2 strokes

この人	このひと	this person
一人／1人	ひとり	one person
二人／2人	ふたり	two people
三人／3人	さんにん	three people

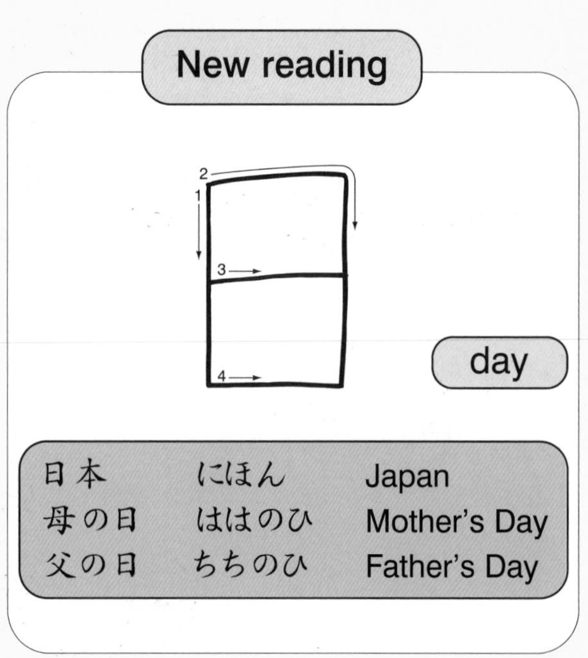

New reading

day

日本	にほん	Japan
母の日	はははのひ	Mother's Day
父の日	ちちのひ	Father's Day

ふたりで

さとこさん、 ひろしくん、	こんにちは。 こんばんは。

ふみこさん、 たけしくん、	こんにちは。 こんばんは。

さとこさん、 ひろしくん、	ローラー ブレード ビデオ ゲーム まんが	がすきですか。

わたし ぼく	は	あまり… あまりすきじゃないです。	でも	あに あね	は だいすきです。	ふみこさんは? たけしくんは?

わたし ぼく	はだいすきです。そして	父 母	も	ローラーブレード ビデオゲーム まんが	がすきです。

そうですか！	お父さん お母さん	はなんさいですか。

父 母	は	51さい 44さい 38さい	です。

そうですか！

ことば

かぞく	My family	ごかぞく	Your family
りょうしん	my parents	ごりょうしん	your parents
母	my mother	お母さん	your mother
父	my father	お父さん	your father
あね	my older sister	おねえさん	your older sister
あに	my older brother	おにいさん	your older brother
いもうと	my younger sister	いもうとさん	your younger sister
おとうと	my younger brother	おとうとさん	your younger brother

うるさい！	you're so noisy!
おんがく	music
けんどう	Japanese fencing
この～	this ～
しずかにして	be quiet!
そして	and, and then
ざっし	magazine
だめ！	don't do that!
でも	but
べんきょう	study
まんが	comic
みんないいこね	they're good kids, aren't they?
...をしょうかいします	I'll introduce ...
B`Z	name of pop group

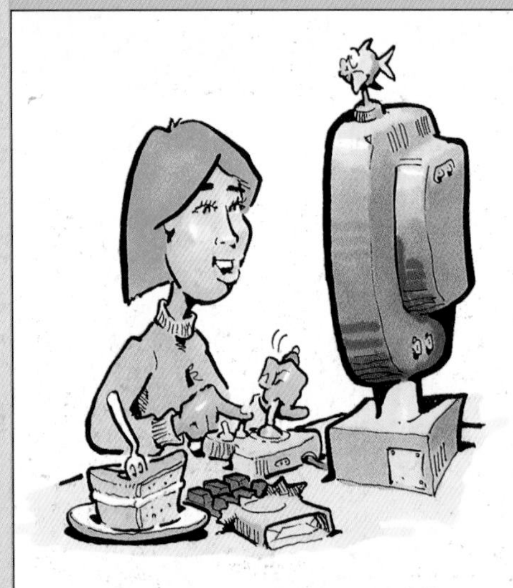

カタカナのたんご

エレクトーン（えれくとおん）	electric organ
きもののデザイナー（でざいなあ）	designer of kimono
ケーキ（けえき）	cake
ゴルフ（ごるふ）	golf
チョコレート（ちょこれえと）	chocolate
テニス（てにす）	tennis
テレビ（てれび）	television, TV
バドミントン（ばどみんとん）	badminton
ビデオゲーム（びでおげえむ）	video game
ローラーブレード（ろおらあぶれえど）	in-line skating

だいすき	like a lot
すき	like
まあまあ	so-so
あまり…	don't like very much
あまりすきじゃない	don't like very much

Counting people

ひとり
一人

ふたり
二人

さんにん
三人

よにん
四人

ごにん
五人

ろくにん
六人

I'm leaving home!

いってきます。
いってらっしゃい。

ただいま！

おかえりなさい。

In Japan when you go out, you call out いってきます to let everyone know you are leaving. Others in the house wish you well and call back いってらっしゃい. When you get home, you call out ただいま and your family welcomes you back by saying おかえりなさい.

Numbers to 200

十	じゅう		10
十一	じゅういち	11	10 + 1
十二	じゅうに	12	10 + 2
十三	じゅうさん	13	10 + 3
十四	じゅうよん、じゅうし	14	10 + 4
二十	にじゅう	20	2 x 10
二十一	にじゅういち	21	2 x 10 + 1
二十二	にじゅうに	22	2 x 10 + 2
二十八	にじゅうはち	28	2 x 10 + 8
二十九	にじゅうきゅう、にじゅうく	29	2 x 10 + 9
三十	さんじゅう	30	3 x 10
四十	よんじゅう	40	4 x 10
五十	ごじゅう	50	5 x 10
六十	ろくじゅう	60	6 x 10
七十	ななじゅう、しちじゅう	70	7 x 10
八十	はちじゅう	80	8 x 10
九十	きゅうじゅう	90	9 x 10
百	ひゃく	100	
百五十	ひゃくごじゅう	150	100 + 50
二百	にひゃく	200	2 x 100

1

2

3

4

5

6

7

8

12

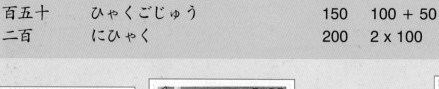

9

10
11

13

えん	¥, yen
きって	stamp
～をください	please give me ～

30えんのきってをください。

30えんですね。はい、どうぞ。

ありがとうございます。

みんなで

1 Bring in some family photos and talk about them with a friend or in a group. Make sure you have some baby photos and see if you can guess who's who.

2 Write down five things (food, pop groups, interests etc.) that you like and interview, say, three of your classmates to see who comes closest to liking the same things as you do.

しってる？

わたしのかぞく

第二課

1 かぞく The family

Use the family words りょうしん, 母, あに, あね, いもうと and おとうと when you talk about your family. Think of these words as meaning *my* parents, *my* father, *my* mother, etc. When asking or talking about some one else's family, use the polite words ごりょうしん, お父さん, お母さん, おにいさん, おねえさん, いもうとさん and おとうとさん. These words mean *your* parents, *your* father, *your* mother, etc. Don't get tricked into repeating these polite words about your family in questions and answers such as:

おにいさんはなんさいですか。
How old is your brother?
あには18さいです。
He's 18.

(おに means *devil* – although you might like to call your brother this, be careful when telling others and don't mix up あに and おに.)

2 ごかぞくはなん人ですか。 How many people in your family?

Here are two ways of asking and telling how many people there are in a family:

ごかぞくはなん人ですか。
5人です。
なん人かぞくですか。
5人かぞくです。

When counting people, take care with the irregular counters ひとり, ふたり and よにん.

3 ごかぞくはだれとだれですか。 Who are the people in your family?

To ask someone for more details about someone else's family, you can say ごかぞくは だれとだれですか。 To answer this question you can list the members of your family – first your parents, then your brothers and sisters and then yourself. If you have more than one brother or sister, say いもうとがふたり or あにがさんにん. For example, if you asked Masaru about the people in his family, he would say りょうしんといもうとが 2人とぼくです。

おねえさんは
なんさいですか。
あねのあきらは
はたちです。

4 はたち

In Japan you legally become an adult when you turn 20 years of age. When someone is 20 years old, we say that they are はたち.

5 Likes and dislikes

This is how to talk about liking or not liking things:

ケーキがすきですか。

Do you like cake?

ええ、だいすきです。

Yeah, I love it!

or

ええ、すきです。

Yeah, I do (like it).

or

ケーキはまあまあです。

Cake is so-so.

or

いいえ、あまり...

No, not very much ...

or

いいえ、あまりすきじゃないです。

No, I don't like it very much.

あまり... is a shorter way of saying あまりすきじゃないです。

To say that someone likes something, use は after the person's name and が after the name of the thing that they like.

母はバドミントンがすきです。

My mum likes badminton.

ケーキがすきですか。
ええ、だいすきです。

6 More about の

の can be used to explain who someone is.

あねのさわこ

my older sister, Sawako

父の George

my dad, George

ともだちのたかし

my friend, Takashi

の is also used like *of* in English.

ざっしのページ

the pages of the magazine

本の84ページをひらいて。

Open to page 84 of the book.

▼ ともだちのしょうこさんです。しょうこさんはけんどうがだいすきです。

おもしろい日本

このグループのなまえはB`Zです。2人グループです。メンバーは松本 孝弘（ギター）と稲葉 浩志（ボーカル）です。松本さんのニックネームはTakです。Takは 30さいです。そして、浩志さんは27さいです。さわこさんはB`Zが だいすきです。とくに、ボーカルの 浩志さんがすきです。浩志さんはかっこいいです。

さわこさんもまさるくんも安室 奈実恵さんがだいすきです。奈実恵さんは東京にすんでいます。19さいです。奈実恵さんはあたらしいファッションがすきです。奈実恵さんはかわいいですね。

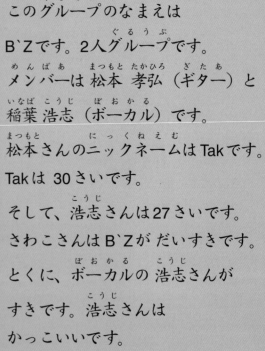

グループ	group
メンバー	member
ギター	guitar
ボーカル	vocals
ニックネーム	nickname
とくに	in particular
かっこいい	cool
あたらしい	new
ファッション	fashion
かわいい	cute

Puffyは2人グループです。
メンバーは亜実さん (24さい) と由美さん (22さい) です。
亜実さんと由美さんは東京と大阪にすんでいます。
Puffyのニック ネームはamiyumiです。Puffyは日本のちゅうがくせい に にんきがあります。
さわこさんはPuffyのおんがくが すきです。

日本のアイドルショップです。
アイドルのグッズをみてください。
さあ、なにをかいましょう。

〜に にんきがあります	is popular with 〜
アイドルショップ	shop selling pop-star goods
アイドルのグッズ	pop-star goods
さあ	well then
なにをかいましょう	what'll we buy?

よんでみよう

5月11日㊐は母の日
母の日
カーネーション
1本198円
5月11日(日)
母の日
お母さんありがとう。

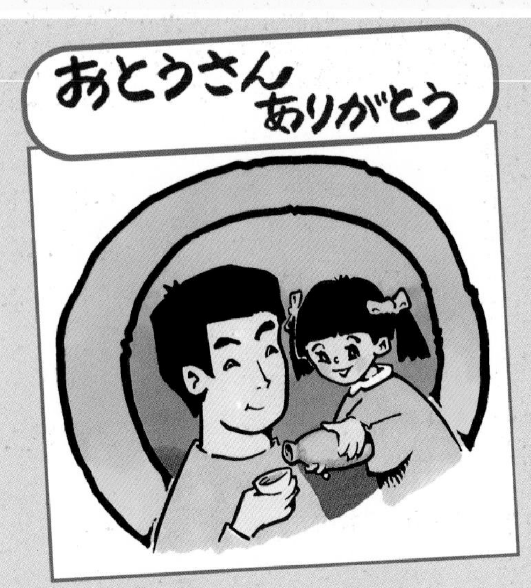

乾杯しようよ、父さん。
父の日のお酒
■5月29日(木)~6月15日(日)■地下1階=リカーマーケット
おとうさんありがとう

The Asano children are looking at these ads from a department store brochure. Which special days are shoppers being reminded of?
On what dates do they occur?
What might Masaru, Sawako and Minako do and say on these days?

～月	month
～日	day of the month
お酒（さけ）	*sake*, alcoholic drink

おはよう！

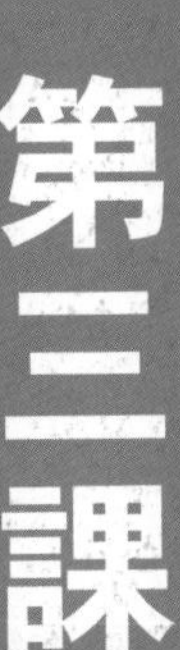

Learn how to:

- talk about your morning routine
  - say what time you get up
  - say what you have for breakfast
- ask someone about their morning routine
- tell the time on the hour, half hour and quarter hour
- say the days of the week
- ask how a kanji is read
- tell someone the reading of a kanji
- read and write the kanji
  時　分　半
  月　火　水　木　金　土

Read about school uniforms.

7時だよ

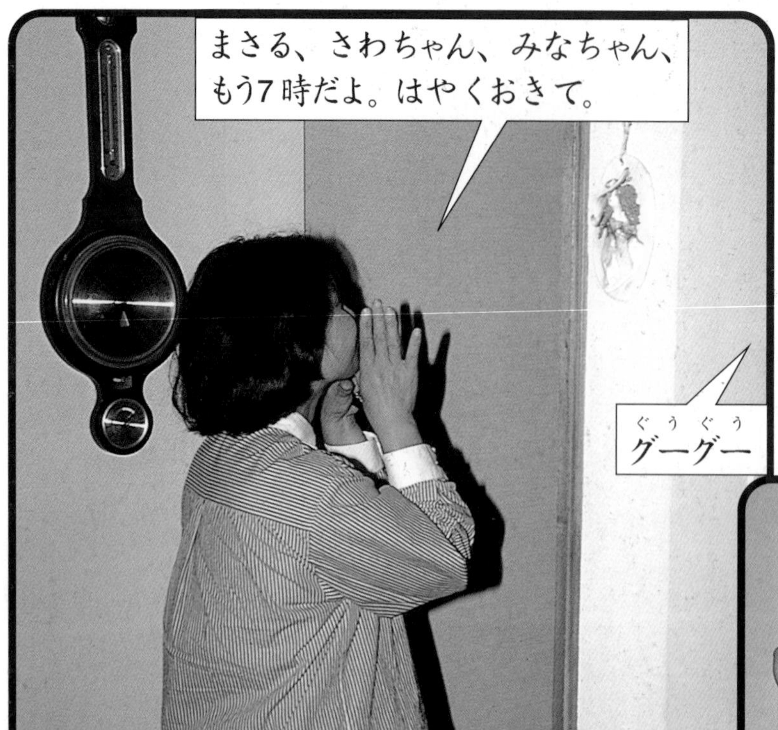

まさる、さわちゃん、みなちゃん、もう7時だよ。はやくおきて。
ぐうぐう
グーグー

▼さわこさんは7時15分におきます。そして、せいふくをきます。

いただきます。

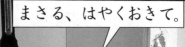

▲さわこさんとみなこさんはあさごはんをたべます。ごはんとさかなをたべます。やさいもたべます。そして、みそしるをのみます。

まさる、はやくおきて。

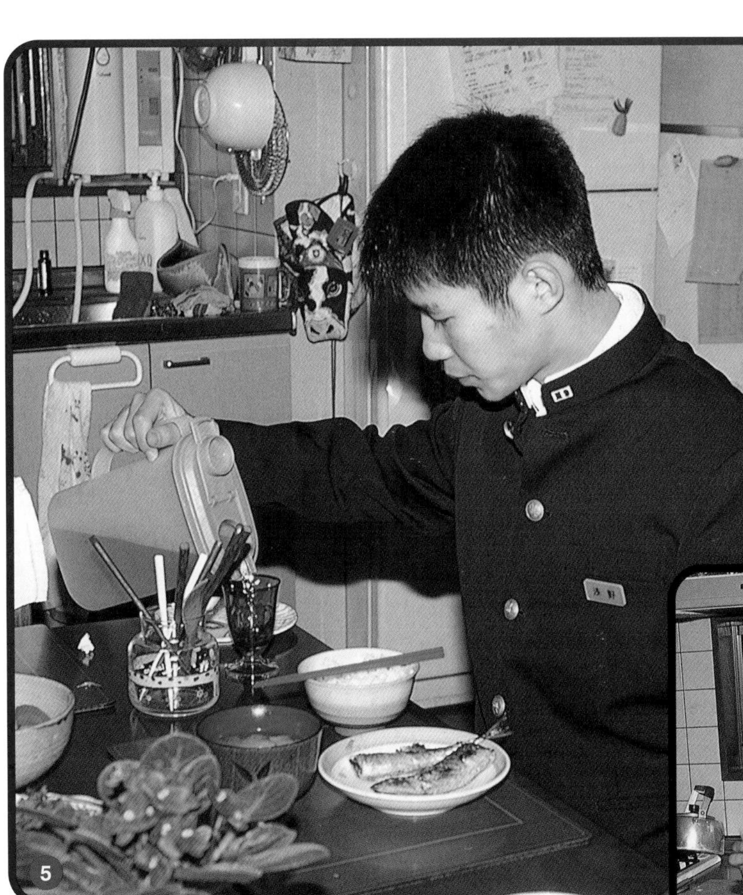

今7時半です。
まさるくんは
おそいです。
まさるくんは
あさごはんに
ごはんとさかなを
たべます。
そして、ジュース（じゅうす）を
のみます。
みそしるものみます。

お母さんはおべんとうをつくります。

いってきます。

今8時です。
さわこさんは
がっこうに
いきます。

いってらっしゃい。

◀
まさるくんも8時に
がっこうにいきます。
一人でいきます。

▼さわこさんはともだちのえりさんと
いっしょにがっこうにいきます。

あのねえ…さわこさん…
なに？

ああ、しずかで、いいねえ。

◀
9時15分まえに
お母さんは
コーヒー（こおひい）を
のみます。そして、
ゆっくり一人で
あさごはんを
たべます。

いってみよう一

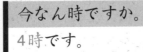

今なん時ですか。
4時です。

6
8

7

今なん時ですか。
3時です。

9
10

今なん時ですか。
2時半です。

11

12

今なん時ですか。

12時15分です。

今なん時ですか。

3時15分まえです。
or
2時45分です。

いってみよう二

おはよう！

第三課

まさる

HARAJUKU
さかい ともみ

おちゃ

Kellogg's
コーンフレーク

こおんふれえく
コーンフレーク

明治
ブルガリア
フルーツヨーグルト

よおぐると
ヨーグルト

とおすと
トースト

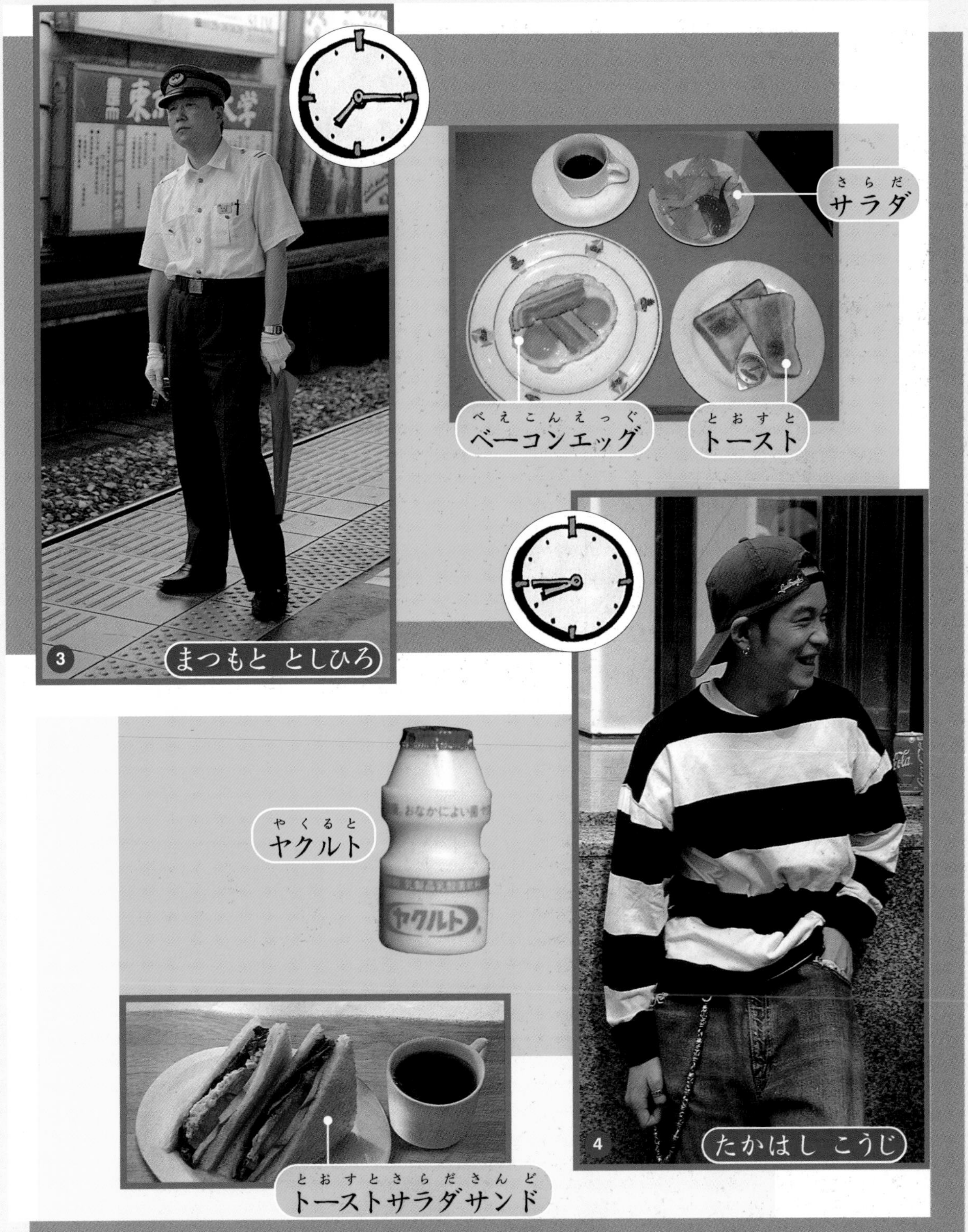

3 まつもと としひろ

サラダ（さらだ）

ベーコンエッグ（べえこんえっぐ）

トースト（とおすと）

4 たかはし こうじ

ヤクルト（やくると）

トーストサラダサンド（とおすとさらださんど）

まさるくんはなん時にあさごはんをたべますか。

7時半にたべます。

まさるくんはあさごはんになにをたべますか。

さかなと ごはんとやさいをたべます。

あさごはんになにをのみますか。

ジュース（じゅうす）をのみます。

いってみよう三

1
まさるくん
7.15
7.30
7.45
8.00
2
さわこさん
7.00
7.15
7.30
8.00
3
みなこさん
7.00
7.15
7.30
8.15

4 お母さん

6.30 6.45 7.00 7.45 8.45

5 お父さん

7.30 8.00 8.15 8.30

まさるくんはなん時におきますか。
7時15分におきます。

5 お父さんは8時半になにをしますか。
しごとにいきます。

しごと	work
ようふく	clothes

あさごはんは？

もう7時だよ。おきて。
月曜日

あさごはんは?

ごはんと
みそしると
さかな。

はい、ごはんとみそしる。
どうぞ。
いただきます。

まさる、
7時15分だよ。
はやく！
グーグー
7.15

まさる、7時半だよ。
はやく！おきて。
7.30

みそしる、どうぞ。
いただきます。

おはよう！

第三課

わたしはコーンフレークは
あまりすきじゃない。
チョコクリスピーがすき。

Kellogg's
チョコ
クリスピー

コーン
フレーク

おはよう！

第三課

水曜日
もう7時だよ。おきて。あさごはんはコーンフレークとチョコクリスピーだよ。
みなちゃん、はやく。おきて。
木曜日
もう7時だよ。おきて。あさごはんはコーンフレークとチョコクリスピーとコーンフロスティだよ。
わたしはコーンフレークとチョコクリスピーはあまりすきじゃない。コーンフロスティがすき。
Kellogg's
コーン
フロスティ
ぼくはベーコンエッグがだいすきだ。
わたしもベーコンエッグがだいすき。
わたしも。
チョコ
クリスピー
コーン
フロスティ
金曜日
いただきます。
はい、ジュース。どうぞ。
わたしはコーヒーがすき。
わたしも。
ぼくも。

もう7時だよ。おきて。
あさごはんはコーンフレーク(こおんふれえく)と
チョコクリスピー(ちょこくりすぴい)と
コーンフロスティ(こおんふろすてぃ)と
ベーコンエッグ(べえこんえっぐ)とコーヒー(こおひい)だよ。

えっ！お父さん。
あれっ！父さん。
おはよう。はやいね。
きょうは土曜(よう)日だよ！がっこうはや・す・み。

あ〜あ。
しょうがないよ。
ごちそうさま。
9 AM

You have learnt that when talking about your own family you use words like 父 and 母 but when you ask or talk about someone else's family you say お父さん and お母さん.

Let's look at how the family members address each other within the family.

In the Asano family, お父さん and お母さん call their children まさる, さわちゃん and みなちゃん. Masaru calls his parents 父さん and 母さん, and his sisters call them お父さん and お母さん.

いってみよう四

このじはどうよみますか。

月曜(よう)日の「げつ」ですね。

このじはどうよみますか。

火曜(よう)日の「か」ですね。
or
「か」ですね。

じ	letter, character
どうよみますか	how do you read?

ふたりで

ふみえさん あけおくん	はなん時におきますか。

6.00 7.00 8.00	におきます。そして、	6.30 7.30 8.30	にあさごはんをたべます。	けいこさん けんじくん	は?

わたし ぼく	は	6.15 7.15 8.15	におきます。そして、	6.45 7.45 8.45	にあさごはんをたべます。

けいこさん けんじくん	は あさごはんになにをたべますか。

コーンフレークとトースト ごはんとさかな ベーコンエッグ とサラダ	をたべます。そして	コーヒー おちゃ ジュース	をのみます。	ふみえさん あけおくん	は?

わたし ぼく	は も	コーンフレークとトースト ごはんとさかな ベーコンエッグ とサラダ	をたべます。そして	7.15 8.15 9.15	に	がっこう しごと	にいきます。

はやいですね。
へえ…おそいですね。

みんなで

1 What do you do in the morning? Explain your morning routine to a friend.

2 あさごはんになにをたべますか。

What do your classmates have for breakfast? Do they have something different on the weekend? Do they eat breakfast at the same time on, say, Monday and Sunday? Interview three friends to find out this information.

3 なん時におきますか。

Who gets up at the same time as you? Ask various classmates and then form groups of people who get up at the same time. You might have a 7時半のグループ.

しってる？

1 Particles

You have seen little words like は, も, が and を described as particles. Some of these particles point out things to us. Look at this sentence:

さわこさんはチョコクリスピー(ちょこくりすぴい)がすきです。

は tells us that we are talking about Sawako, and が points out to us that the thing she likes is Coco Pops.

What does this sentence mean?

みなこさんはさわこさんがすきです。

Look at this sentence:

まさるくんはジュース(じゅうす)をのみます。

は points out that we are talking about Masaru, and を points out that what he drinks is juice.

Some particles have a meaning.

と can mean *and*.

ごはんとさかなをたべます。

They eat rice and fish.

も means *also* or *too*.

やさいもたべます。

They eat vegetables too.

Some particles have more than one meaning. You have already seen

金沢(かなざわ)にすんでいます。

I live in Kanazawa.

where に comes after the name of the place in which someone lives.

に can also mean *at* a time.

7時にあさごはんをたべます。

I have breakfast at 7.00.

It can mean *on* a day.

月曜(よう)日にせいふくをきます。

On Monday I put on my school uniform.

It can mean *to* a place.

がっこうにいきます。

They go to school.

And it can mean *for*.

あさごはんになにをたべますか。

What do you have for breakfast?

2 今なん時ですか。 What time is it?

Now that you know how to count, telling the time is easy. These examples show you how to do it.

Take care with:

4時　よじ　(4 o'clock)
7時　しちじ　(7 o'clock)
9時　くじ　(9 o'clock)

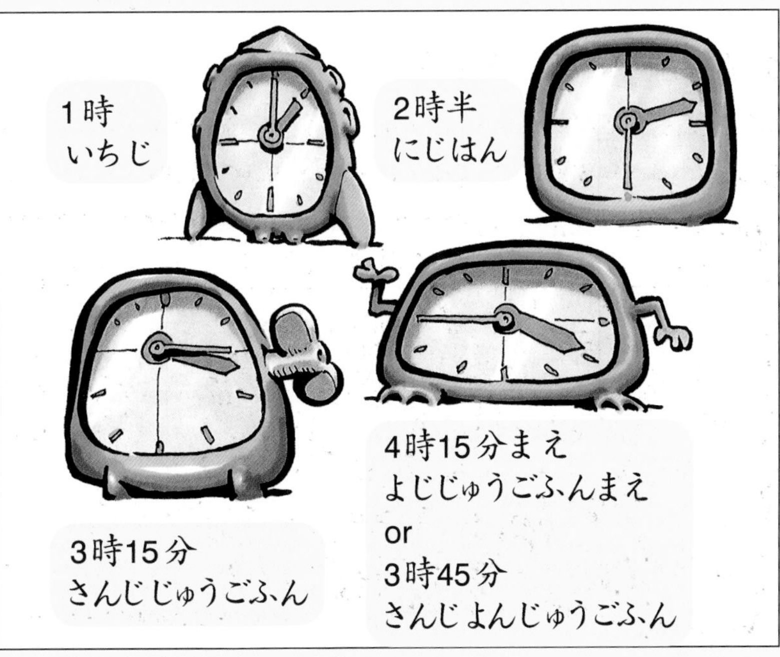

おはよう！
第三課
百一

ことば

いただきます
said before eating

ごちそうさま
said after eating

あ～あ	oh
あさごはんは？	what about breakfast?
あの…	hey…
あれっ！	hey!
いっしょに	together
おきて	get up!
おそい	late
おべんとう	lunch
がっこう	school
きょう	today
グーグー (ぐうぐう)	zzzz
しごと	work
しずかでいいねえ	it's nice and quiet
しょうがない	too bad! can't be helped!
せいふく	uniform
と	and
なに？	what?
なに（を）	what
はやい	early
はやく！	hurry up!
一人で	by herself, by himself
へえ…	really?
もう7時だよ	it's already 7 o'clock
やすみ	holiday
ゆっくり	slowly

Verbs

いきます	go
おきます	get up
きます	put on (clothes)
します	do
たべます	eat
つくります	make
のみます	drink

あさごはんに	For breakfast
あさごはん	breakfast
おちゃ	Japanese green tea
コーヒー (こおひい)	coffee
コーンフレーク (こおんふれえく)	Corn Flakes
コーンフロスティ (こおんふろすてぃ)	Frosties
ごはん	cooked rice
さかな	fish
サラダ (さらだ)	salad
ジュース (じゅうす)	fruit juice
チョコクリスピー (ちょこくりすぴい)	Coco Pops
トースト (とおすと)	toast
トーストサラダサンド (とおすとさらださんど)	toasted salad sandwiches
ベーコンエッグ (べえこんえっぐ)	bacon and eggs
みそしる	soybean soup
ヤクルト (やくると)	Yakult
やさい	vegetables
ヨーグルト (よおぐると)	yoghurt

Time

今	now
なん時(じ)	what time?
～時(じ)	～ o'clock
～時半(じはん)	half past ～
～分(ふん)	minute
まえ	before, to

Days of the week

日曜日	にちようび	Sunday
月曜日	げつようび	Monday
火曜日	かようび	Tuesday
水曜日	すいようび	Wednesday
木曜日	もくようび	Thursday
金曜日	きんようび	Friday
土曜日	どようび	Saturday

かいてみよう

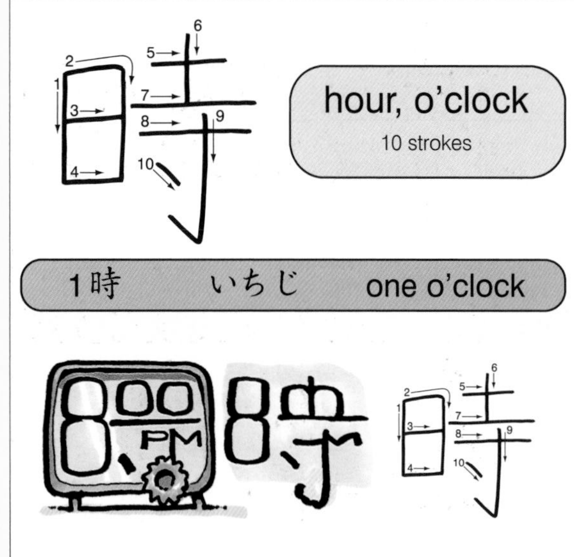
時
hour, o'clock
10 strokes
1時　いちじ　one o'clock
8:00 PM

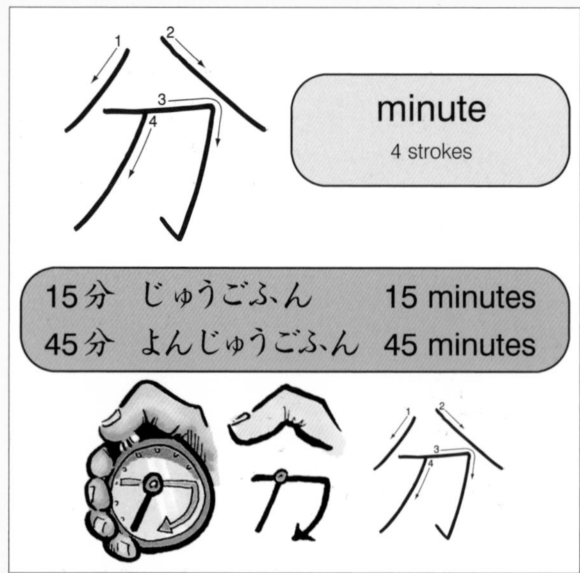
分
minute
4 strokes
15分　じゅうごふん　15 minutes
45分　よんじゅうごふん　45 minutes

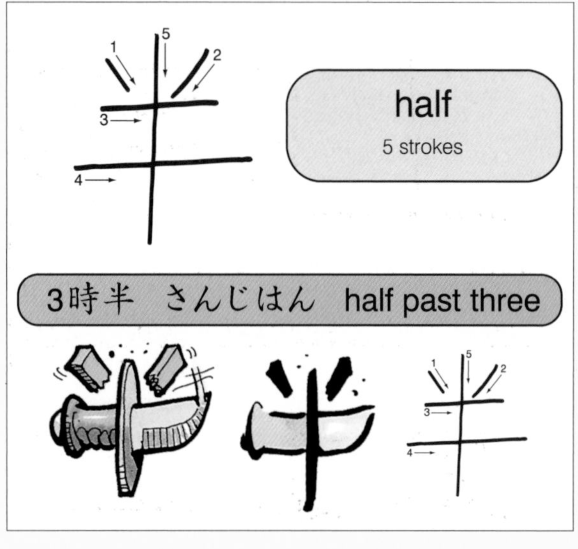
半
half
5 strokes
3時半　さんじはん　half past three

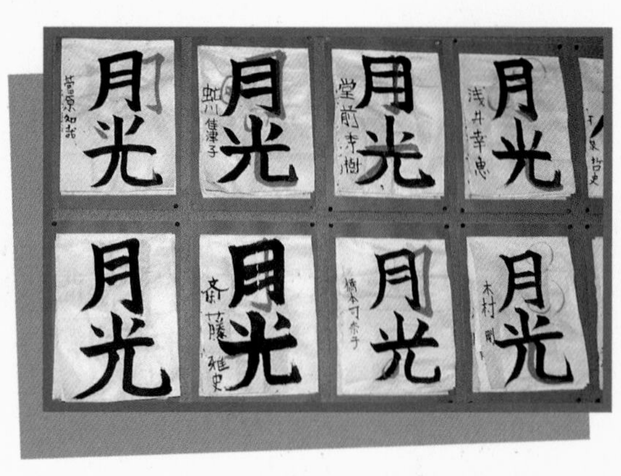
月光

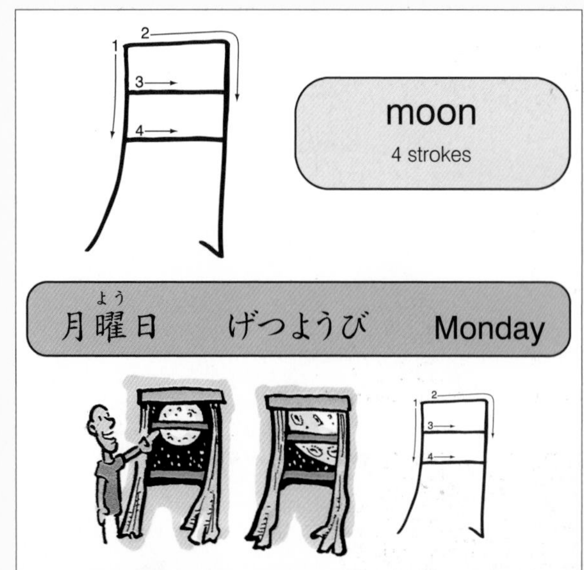
月
moon
4 strokes
月曜日　げつようび　Monday

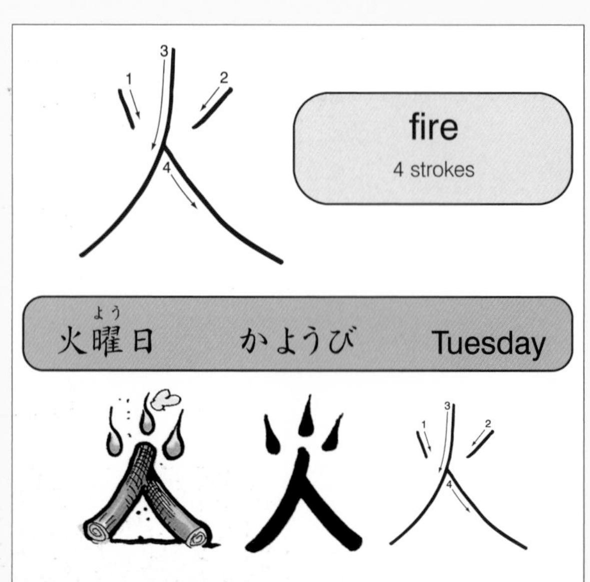
火
fire
4 strokes
火曜日　かようび　Tuesday

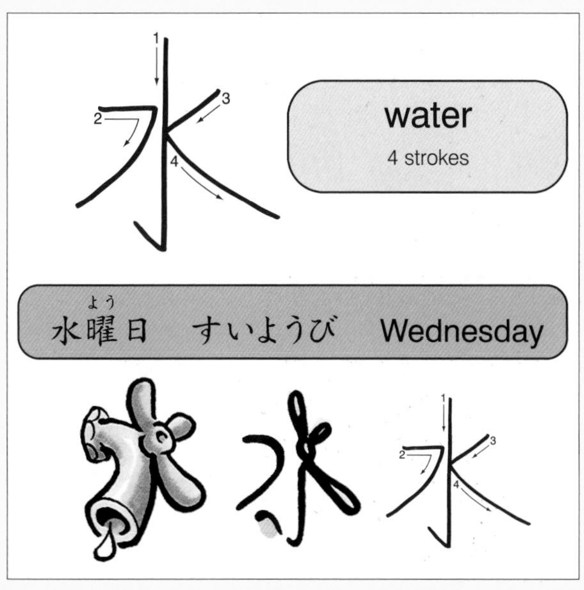
水
water
4 strokes
水曜日 すいようび Wednesday

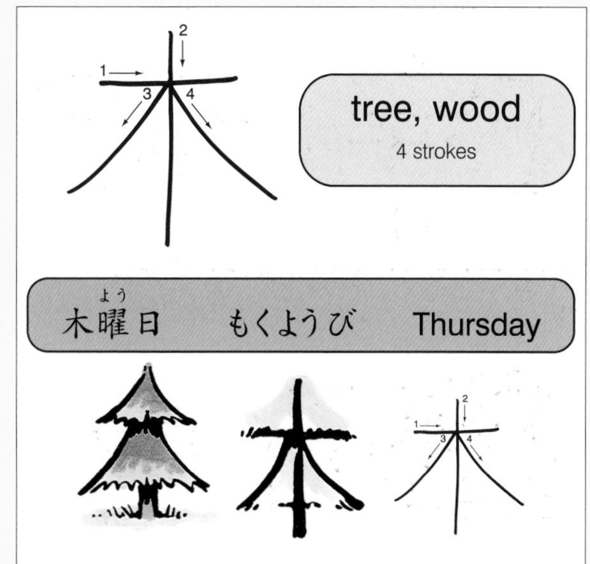
木
tree, wood
4 strokes
木曜日 もくようび Thursday

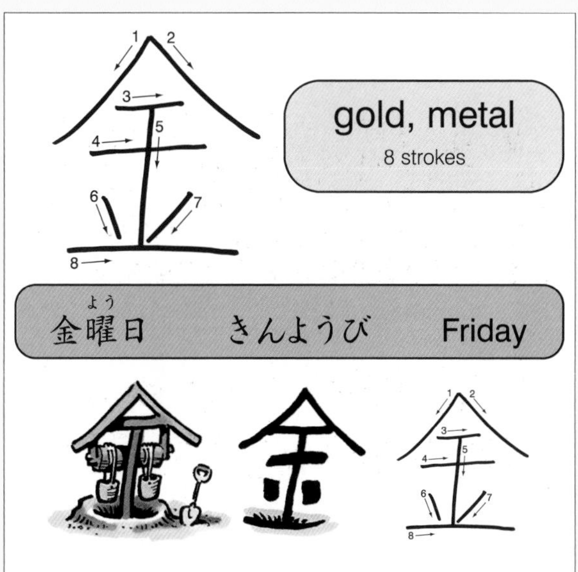
金
gold, metal
8 strokes
金曜日 きんようび Friday

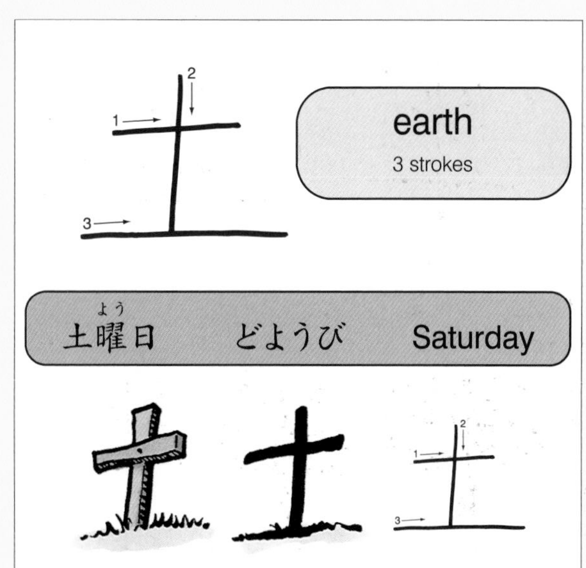
土
earth
3 strokes
土曜日 どようび Saturday

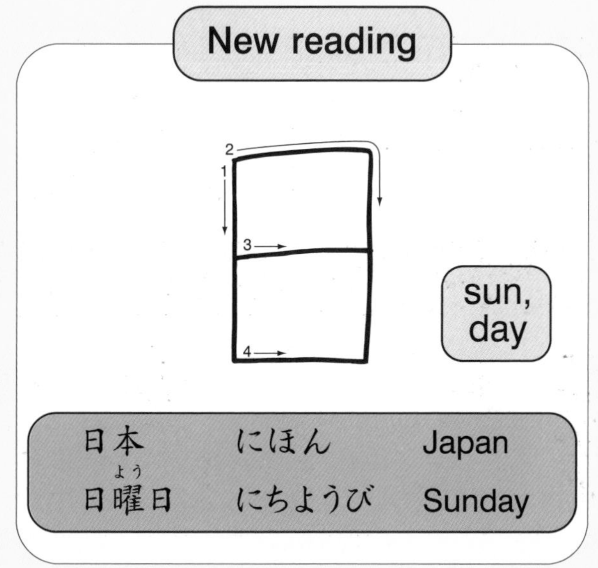
New reading
日
sun, day
日本 にほん Japan
日曜日 にちようび Sunday

おもしろい日本

せいふく

日本のがくせいは
せいふくをきます。
このせいふくを
みてください。
せいふくがすきですか。
せいふくをきますか。

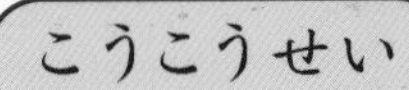

ルーズソックス（るうずそっくす）

これは
ルーズソックス（るうずそっくす）の
のりです。
おもしろいですね！

Pocket
Grooming

ソックス止め

10

今、ルーズソックス（るうずそっくす）は
トレンディー（とれんでぃい）です。
すきですか。

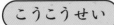

ルーズソックス（るうずそっくす）	loose socks
トレンディー（とれんでぃい）	trendy
おもしろい	interesting

よんでみよう

1 Look at this advertisement from an international telephone company. What do you think is being advertised? When is the offer available? (Do you remember why this date is special?) Can you think why the amount marked 'off' changes?

5/10(土) 11(日)
▶ 全日 約30%off

5/11(日)
▶ 0時 ～ 8時 約30%off
▶ 8時～23時 約20%off
▶ 23時～24時 約30%off

約	approximately

●各種パイは、オーブントースターで3～5分温め、お召し上がりください。

2 Masaru is getting himself an after-school snack. How long should he heat his pie in the オーブントースター(おおぶんとおすたあ)?

オーブントースター(おおぶんとおすたあ)	oven toaster

3 あつこさん and りゅういちくん are going to collect their car after shopping for an hour and a half. How much will the car parking cost?

4 The sign below gives information about rubbish collection. When can the Asanos throw out their food leftovers and when can they throw out their plastic bottles?

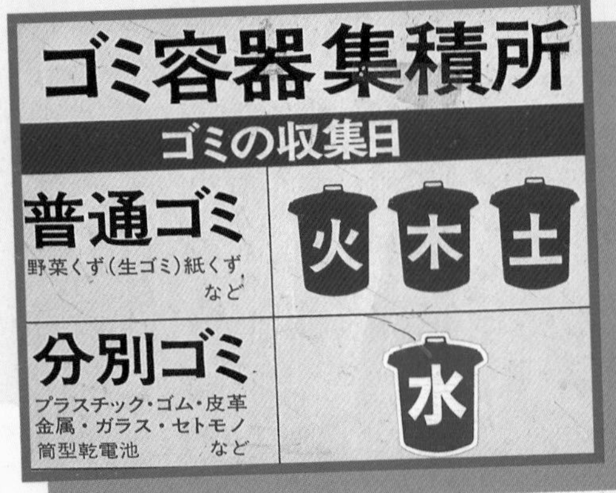

普通ゴミ	ふつうゴミ(ごみ)	regular rubbish
野菜くず	やさいくず	vegetable scraps
紙くず	かみくず	paper rubbish
分別ゴミ	ぶんべつゴミ(ごみ)	separated rubbish
プラスチック(ぷらすちっく)		plastic
ゴム(ごむ)		rubber

学校に行きます

第四課

Learn how to:

- say how you get to places
- ask someone how they get to places
- say who you go with
- ask someone who they go with
- ask and tell the time
- talk about your school times
- ask someone about their school times
- respond to thanks
- read and write the kanji
  学　校　行　(時)々

Read about some 'fast' and 'high' things in Japan.

どうやって行きますか

みなさん、どうやって
学校に行きますか。
バスで行きますか。
時々、あるいて行きますか。

まみさん、おはよう！

わたしは
あるいて行きます。
まい日、えりさんと
あるいて行きます。
ともだちはじてんしゃで
行きます。

さわこさん！
えりさん！ おす！
たかしくんも
ともだちと
じてんしゃで
行きます。

このこうこうせいは
バスで 行きます。

5 このがくせいは学校に
でんしゃで行きます。

しょうがくせいも
でんしゃで行きます。

父はくるまで
しごとに行きます。

6

へえ、みて！
このしょうがくせいは
お父さんと
オートバイ（おおとばい）で
学校に行きます。
いいなあ！

7

いってみようー

97
1
➪学校
➪あるいて

喫煙所
Smoking Area
2
➪しごと
➪でんしゃ

3
➪まち
ばす
➪バス

4
➪学校
➪あるいて

➪しごと
Ryobi Bus
5
ばす
➪バス
➪くるま

6
➪まち
しいばす
➪シーバス

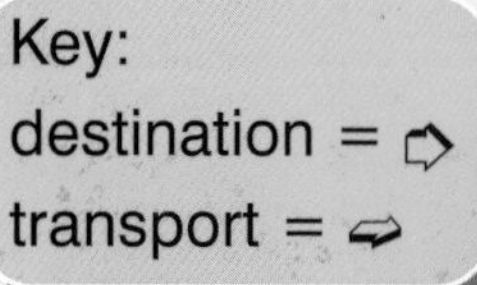
Key:
destination = ➪
transport = ➪

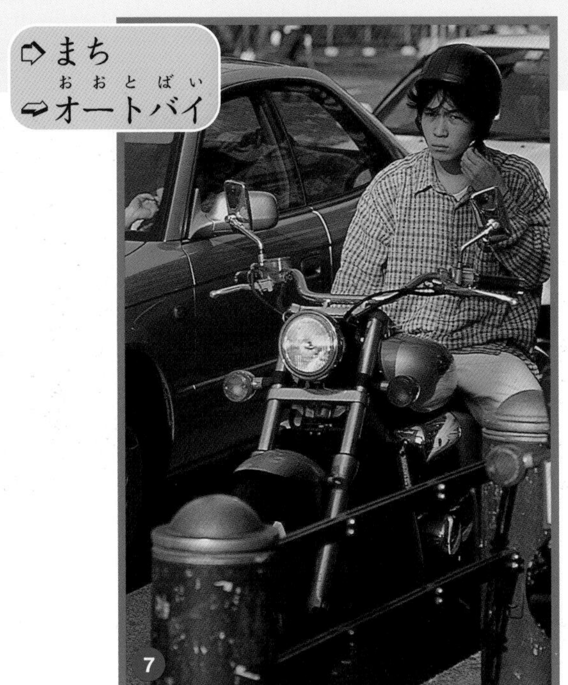

7

➪まち
➪オートバイ（おおとばい）

8

➪まち
➪じてんしゃ

10

➪まち
➪タクシー（たくしい）

9

➪しごと
➪ローラーブレード（ろおらあぶれえど）

11

➪しごと
➪スケーティング バイク（すけえてぃんぐ ばいく）

どこに行きますか。
学校に行きます。

どうやって行きますか。
あるいて行きます。

どこに行きますか。
2 しごとに行きます。

どうやって行きますか。
2 でんしゃで行きます。

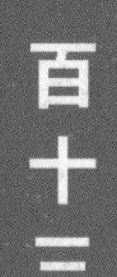

いってみよう二

さわこさんはだれと行きますか。
ともだちと行きます。

2 まさるくんはだれと行きますか。
一人で行きます。

学校に行きます

第四課

ぼくの学校

ぼくは8時に
学校に行きます。
あるいて行きます。

これはぼくとさわこの学校です。
なまえは「高岡中学校」です。

日課表		
50分授業	月～金	土
HR	8.30 – 8.40	8.30 – 8.40
1	8.45 – 9.35	8.45 – 9.35
2	9.45 – 10.35	9.45 – 10.35
3	10.45 – 11.35	10.45 – 11.35
4	11.45 – 12.35	
昼休み	12.35 – 1.25	
5	1.25 – 2.15	
6	2.25 – 3.15	
掃除	3.15 – 3.35	11.35 – 11.55
HR	3.40 – 3.50	12.00 – 12.20

この日課表をみてください。
学校は月曜日から土曜日までです。
クラスは8時半から3時50分まで
です。土曜日は12時20分までです。
でも、時々、土曜日はやすみです。
ぼくはやすみがだいすきです。
みなさんの学校はなん時からですか。
土曜日はやすみですか。

日課表	にっかひょう	lesson times
HR	ホームルーム	home room
昼休み	ひるやすみ	lunchtime
掃除	そうじ	cleaning

いってみよう三

1

2

今なん時ですか。

11時10分です。

3

4

5

6

今なん時ですか。

4 8時50分です。
or
9時10分まえです。

いってみよう四

日課表		
50分授業	月～金	土
HR	8.30 – 8.40	8.30 – 8.40
1	8.45 – 9.35	8.45 – 9.35
2	9.45 – 10.35	9.45 – 10.35
3	10.45 – 11.35	10.45 – 11.35
4	11.45 – 12.35	
昼休み	12.35 – 1.25	
5	1.25 – 2.15	
6	2.25 – 3.15	
掃除	3.15 – 3.35	11.35 – 11.55
HR	3.40 – 3.50	12.00 – 12.20

六じかんめはなん時から?

2時25分から。

(月よう日の) 一じかんめはなん時からですか。

8時45分からです。

(月よう日の) 一じかんめはなん時までですか。

9時35分までです。

(月よう日の) 二じかんめはなん時からなん時までですか。

9時45分から10時35分までです。

HR	ホームルーム (ほおむるうむ)	home room
昼休み	ひるやすみ	lunchtime
掃除	そうじ	cleaning

あっ！おそい！

はやく！はやく！
ローラーブレードで
学校に行きます。

あっ！もう8時20分だ。
ホームルームは8時半から！
8.20

いってきます。

あっ！8時40分。
おそい！

スケーティングバイクで
学校に行きます。はやく！

学校に行きます

第四課

あ、シーバスだ。
ありがとう！
いいえ。
じゃ、シーバスで学校に行きます。
さわこさん、今、9時だよ！
はやく！
どこに行きますか。
がんばって！
まちに行きます。
オートバイで学校に行きます。
一じかんめはなん時から?
8時45分から。
あ、たかしくん！
ありがとう！
いいえ。

たかしくんと
じてんしゃで
学校に行きます。
あっ！たかしくん、今、9時10分。おそい！
せんせい、おそくなって
すみません。
また！
さわちゃん、おきて。
7時だよ！ はやく！
はあい！
あさごはんは？

学校に行きます

第四課

ふたりで

ひろみさん、 あきらくん、	まい日、どうやって学校に行きますか。

あるいて バスで	行きます。	けいこさん ひろしくん	はどうやって行きますか。

わたし ぼく	は	父 母 あに あね	と	くるま タクシー オートバイ じてんしゃ	で行きます。

ああ、そう。まい日	お父さん お母さん おにいさん おねえさん	と	くるま タクシー オートバイ じてんしゃ	で行きますか。

いいえ、時々	スケーティングバイク シーバス でんしゃ	で行きます。

へえ！	スケーティングバイク シーバス でんしゃ	で?

ええ。	ひろみさん あきらくん	は	だれと行きますか。

いぬのくろちゃん ともだちのえみさん	と行きます。	けいこさん、 ひろしくん、	学校はなん時からですか。

7時40分 8時10分 9時20分	からです。

はやい おそい	ですね。

みんなで

1 まい日、どうやって学校に行きますか。だれと学校に行きますか。

How do your classmates get to school every day? Who do they go to school with – friends? parents? brothers and sisters? Or do they go by themselves? Interview ten of your classmates, and then draw up some statements to explain the different ways people get to school and who they go with.

まい日、どうやって学校に行きますか。

ええと…あるいて行きますよ。

あるいて |
バスで ||
じてんしゃで ||||
くるまで ||

ともだちと ||||
一人で |||
お母さんと |
おにいさんと |

4人はじてんしゃで行きます。
2人はくるまで行きます。
2人はバスで行きます。

4人はともだちと行きます。
3人は一人で行きます。

2 Make a statement!

How many statements can you and your partner make about your school life? You can probably say what time things happen, such as period 1, lunchtime and home room, and whether you think that's early or late. Take it in turns and see who can have the last word!

しってる？

1 どうやって行きますか。 How do you get there? How will you get there?

To explain how you get to places like school, town and work, you replace the どうやって part of the question with the name of the means of transport you use. You also add で, meaning *by*, after the transport word.

どうやってまちに行きますか。
How do you go to town?
くるまで行きます。
I go by car.

あるいて means *by foot* or *on foot* (walk). As the meaning of で is already included in the word, you don't need to add で.

あるいて行きます。
I'll walk.

2 だれと行きますか。 Who do you go with? Who are you going with?

To say who you go somewhere with, put particle と after the name of the person.

だれと行きますか。
Who are you going with?
ともだちのえりさんと行きます。
I'm going with my friend Eri.

This と means *with* a person.
You'll remember that と also means *and*.

Look at these two sentences:

さわこさんとえりさんは学校にあるいて行きます。
Sawako and Eri walk to school.
さわこさんはえりさんと学校にあるいて行きます。
Sawako walks to school with Eri.

To say that you do something by yourself, use 一人(ひとり)で.

まさるくんは、一人で学校にあるいて行きます。
Masaru walks to school by himself.
母は、一人であさごはんをたべます。
Mum eats breakfast by herself.

3 9時から5時まで From 9 to 5

Use から after the name of a day or a time to mean *from* that day or *from* that time.
まで means *up until* a day or a time.
You can use から and まで by themselves or together.

一じかんめは8時45分からです。
Period 1 is from 8.45.
土曜(よう)日は12時20分までです。
Saturday (school) is until 12.20.
学校は月曜(よう)日から土曜(よう)日までです。
School is from Monday to Saturday.

4 10分 じゅっぷん

You can already tell the time in five-minute intervals using ごふん(5分).
To say that it is ten past, twenty past, etc., use じゅっぷん(10分), にじゅっぷん(20分) etc.
Look at these clocks to check how it is done.

7時20分
しちじにじゅっぷん

1時40分
いちじよんじゅっぷん
or にじにじゅっぷんまえ

ことば

ありがとう	thanks
いいえ	not at all
いいなあ！	lucky thing!
おそい！	it's late!
おす！	hi!
から	from
クラス(くらす)	class
しごと	work
～じかんめ	class ～, period ～
じゃ	well then, well
だれ	who?
だれと	who with?
時々(ときどき)	sometimes
はあい！	yeeesss!
へえ	yeah?, really?
まい日	every day
また！	not again!
まち	town
まで	until, to
みなさん	everyone
もう8時半だ	it's already 8.30

Transport

あるいて	by foot, walk
オートバイ(おおとばい)	motor cycle
くるま	car
シーバス(しいばす)	sea-bus, ferry
じてんしゃ	bicycle
スケーティングバイク(すけえてぃんぐばいく)	skate bike, scooter
タクシー(たくしい)	taxi
でんしゃ	train
バス(ばす)	bus
で	by (a means of transport)
どうやって	how? by what means?

今なん時ですか

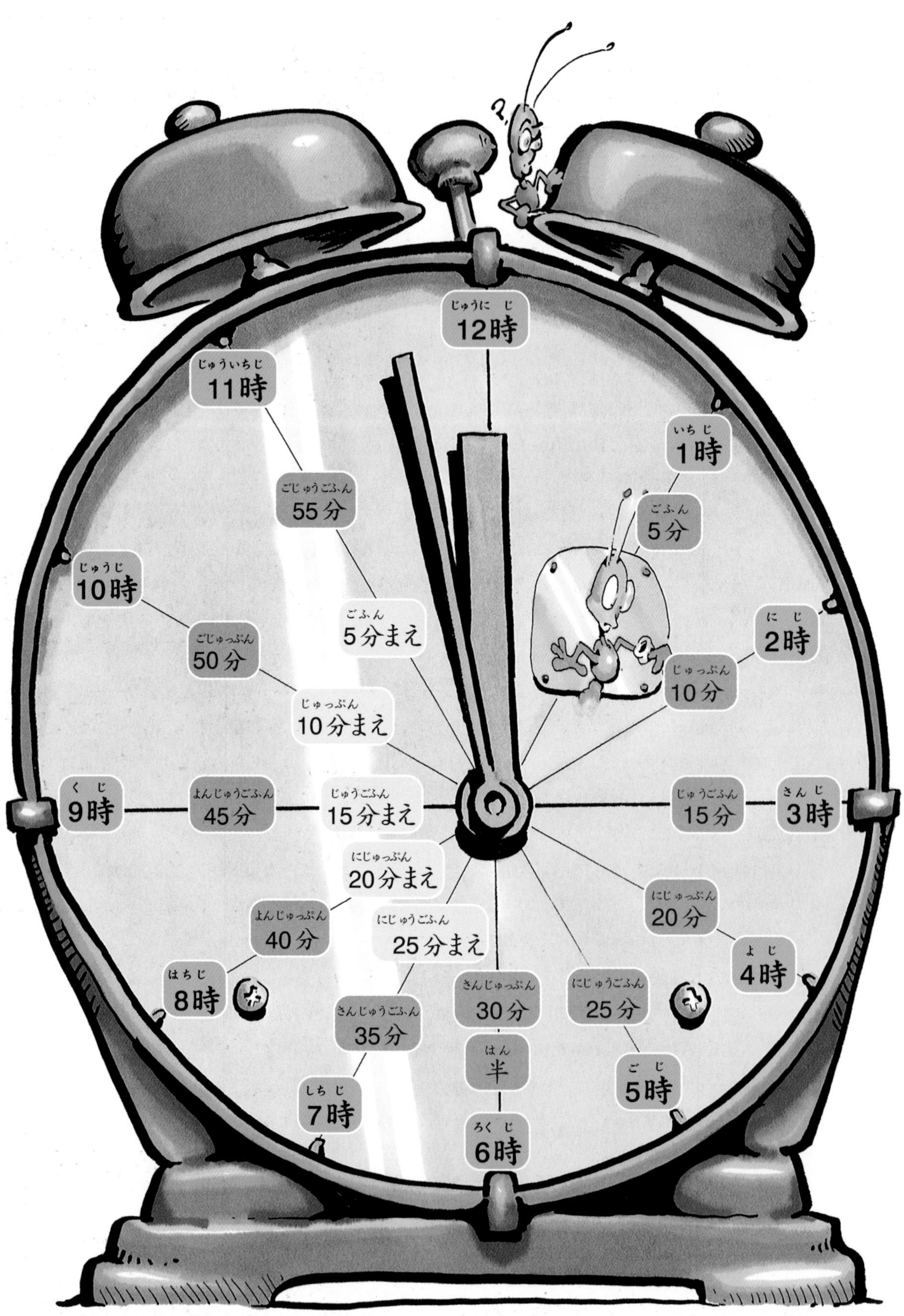
じゅうにじ
12時
じゅういちじ
11時
いちじ
1時
ごじゅうごふん
55分
ごふん
5分
じゅうじ
10時
ごふん
5分まえ
にじ
2時
ごじゅっぷん
50分
じゅっぷん
10分
じゅっぷん
10分まえ
くじ
9時
よんじゅうごふん
45分
じゅうごふん
15分まえ
じゅうごふん
15分
さんじ
3時
にじゅっぷん
20分まえ
にじゅっぷん
20分
よんじゅっぷん
40分
にじゅうごふん
25分まえ
よじ
4時
はちじ
8時
さんじゅっぷん
30分
にじゅうごふん
25分
さんじゅうごふん
35分
はん
半
しちじ
7時
ごじ
5時
ろくじ
6時

かいてみよう

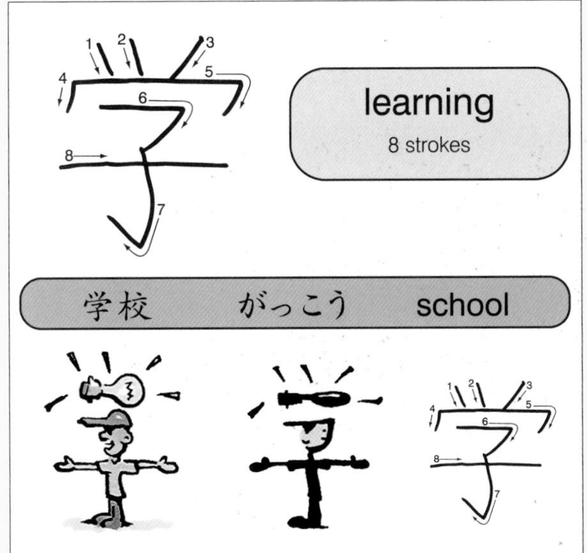

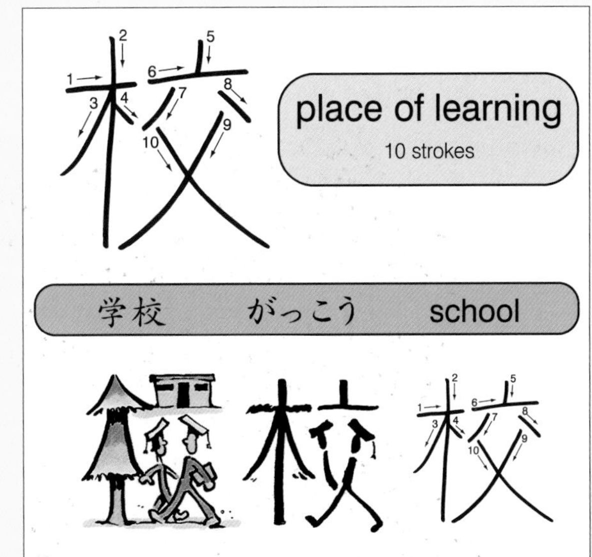

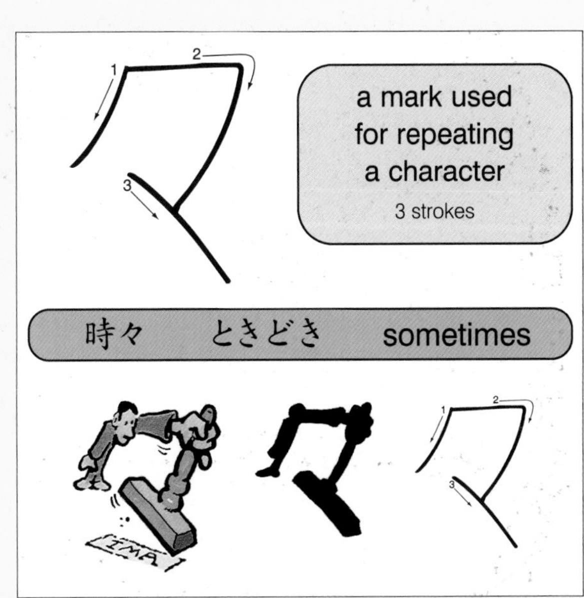

New readings

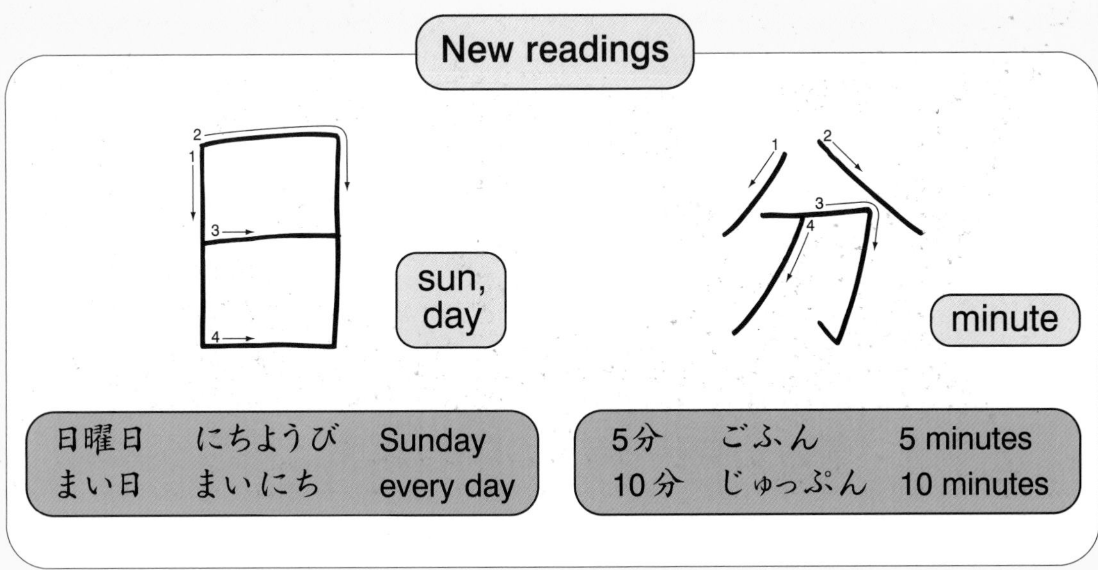

日曜日	にちようび	Sunday
まい日	まいにち	every day

5分	ごふん	5 minutes
10分	じゅっぷん	10 minutes

いってみよう五

Here are some ひらがな signs for you to read. These are written using various writing styles and artwork. Practise reading them with your partner.

このサイン(さいん)はどうよみますか。
ふるさとです。

サイン(さいん) sign

1

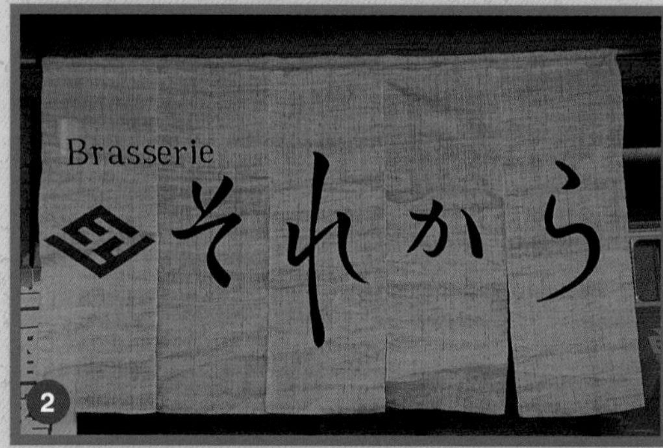

2

3

かめ tortoise

4

5

6

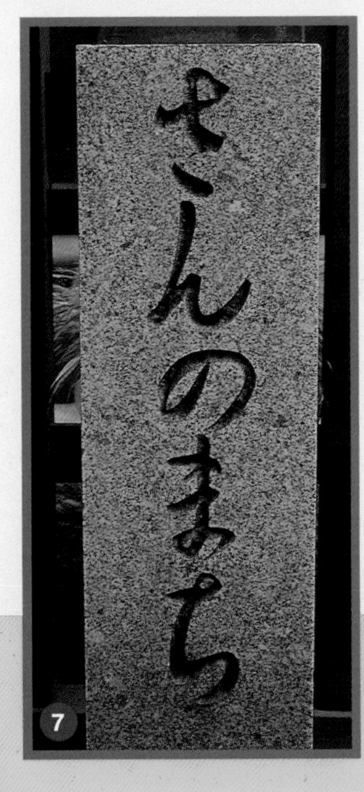

7

8

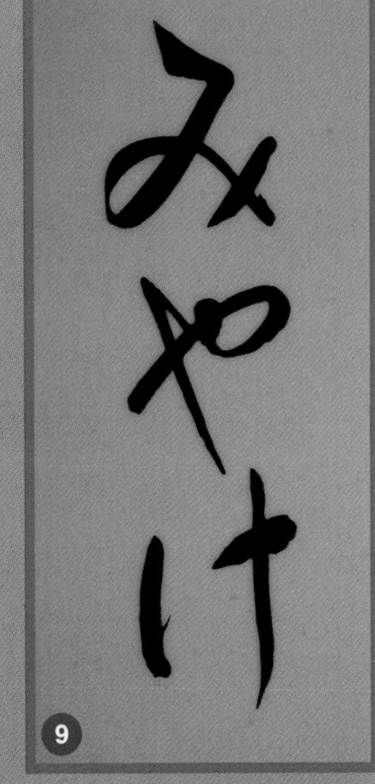

9

10

▲ よこがき

▼ たてがき

11

12

13

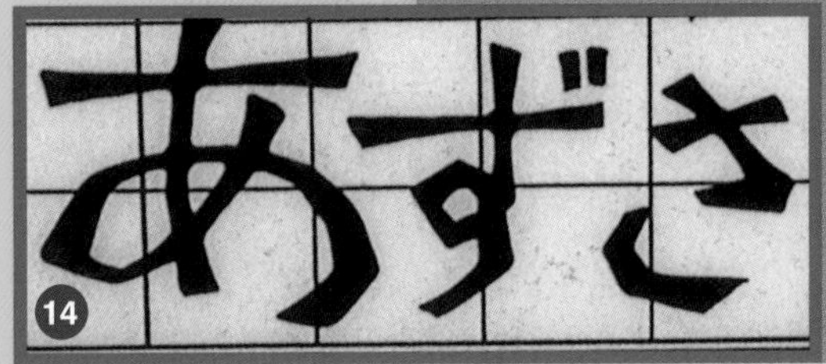

14

おもしろい日本

一ばんはやい

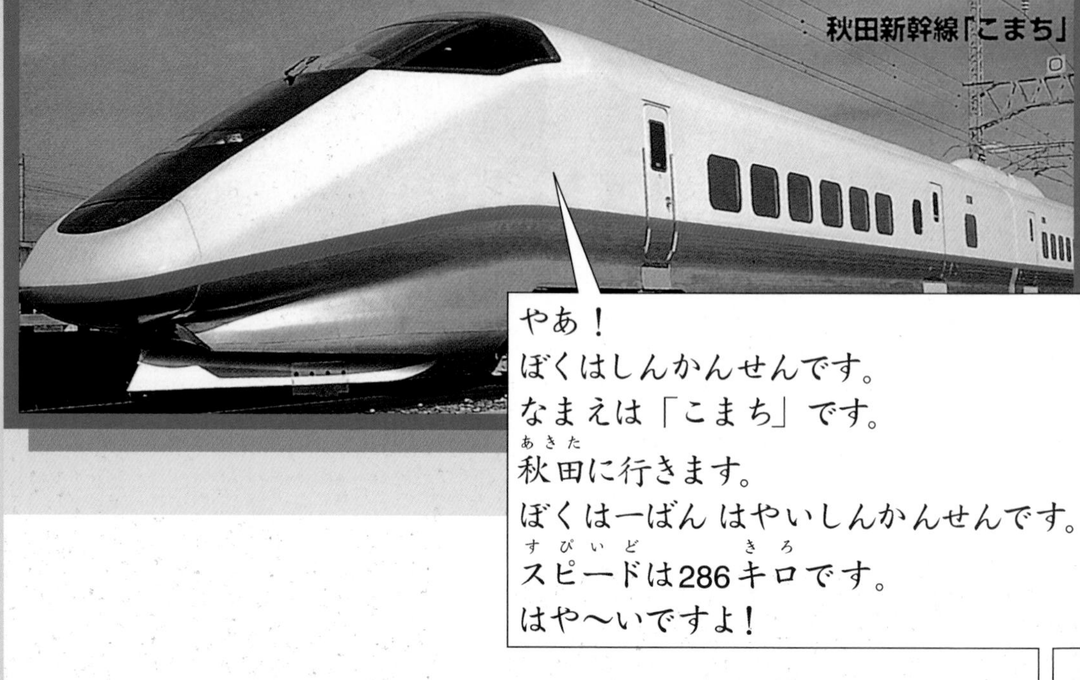

やあ！
ぼくはしんかんせんです。
なまえは「こまち」です。
秋田(あきた)に行きます。
ぼくは一ばん はやいしんかんせんです。
スピード(すぴいど)は286キロ(きろ)です。
はや〜いですよ！

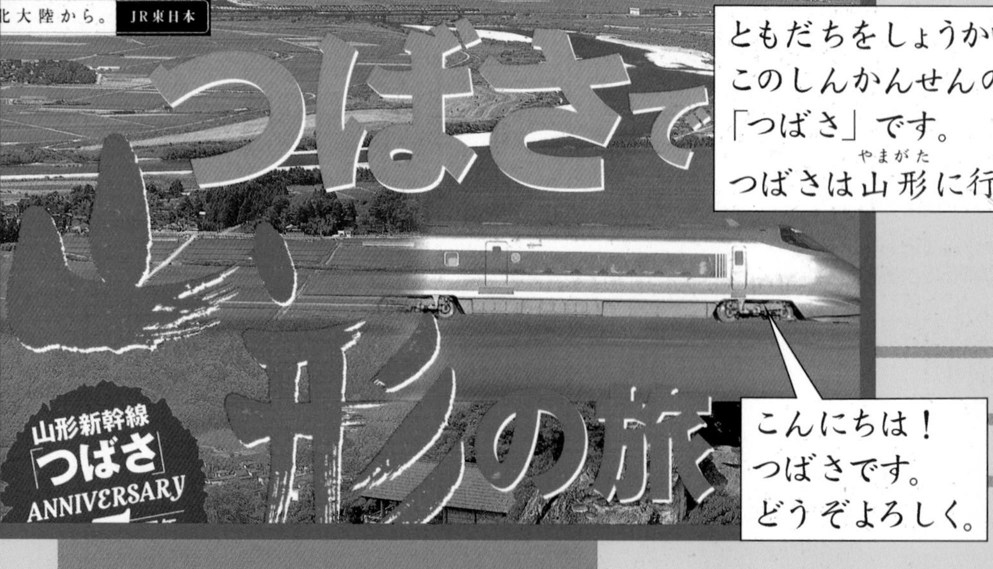

ともだちをしょうかいします。
このしんかんせんのなまえは
「つばさ」です。
つばさは山形(やまがた)に行きます。

こんにちは！
つばさです。
どうぞよろしく。

一ばんはやい	fastest
やあ！	Hi!
しんかんせん	Shinkansen, sometimes called Bullet train

秋田(あきた)	*place name*
スピード(すぴいど)	speed
キロ(きろ)	kilometre
山形(やまがた)	*place name*

一ばん たかい

このビルをみてください。
なまえは
横浜ランドマークタワーです。
日本で、一ばん たかいビルです。
70かいです。
そして、エレベーターは、
せかいで、一ばん はやいです。

世界一の冷や汗をかこう。
FUJIYAMA
ジェットコースター
がだ〜いすきだ！

このジェットコースターはふじやまです。
せかいで、一ばん はやいです。
スピードは130キロです。
そして、せかいで、一ばん たかいです。
79 メートルです。

一ばん たかい	highest
ビル	building
横浜	*place name*
ランドマークタワー	Landmark Tower
日本で	in Japan

〜かい	storey
エレベーター	elevator
せかいで	in the world
ジェットコースター	roller coaster
メートル	metre

よんでみよう

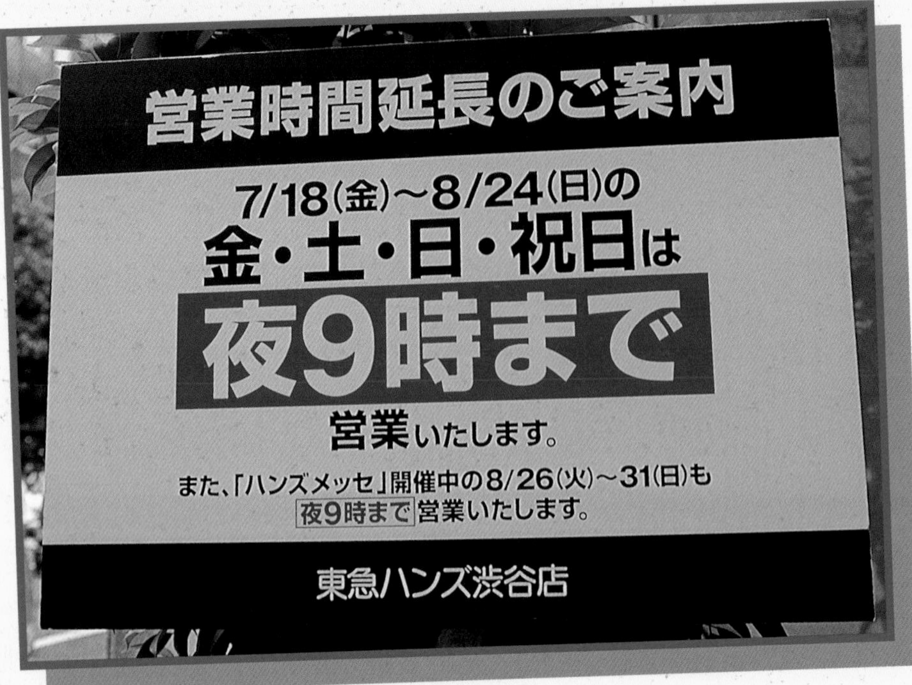

営業時間延長のご案内
7/18(金)~8/24(日)の
金・土・日・祝日は
夜9時まで
営業いたします。
また、「ハンズメッセ」開催中の8/26(火)~31(日)も
夜9時まで 営業いたします。
東急ハンズ渋谷店

祝日(しゅくじつ)	holidays
夜(よる)	night

1 The hours of this store are to be changed on certain days. Can you explain this change? On what days will it happen?

2 This is a sign on a shop near lots of offices. Will the office workers find the shop handier before or after work?

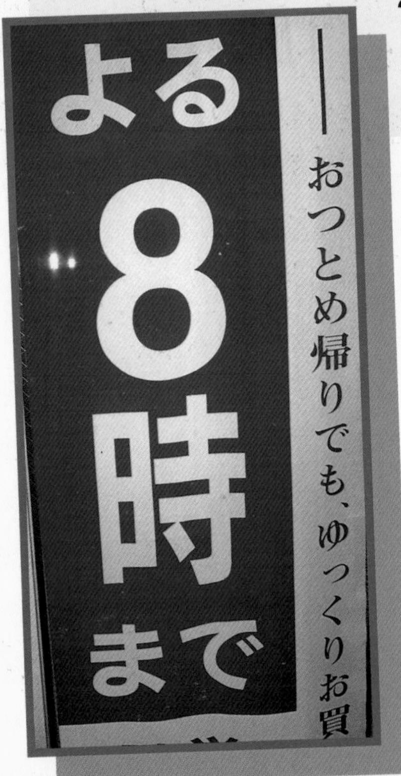

よる
8
時
まで
おつとめ帰りでも、ゆっくりお買

18日（火）から25日（金）まで
11時から 1時まで

3 This is an advertisement for a boxed lunch. On which days of the week is it available? What time can you buy it?

学校

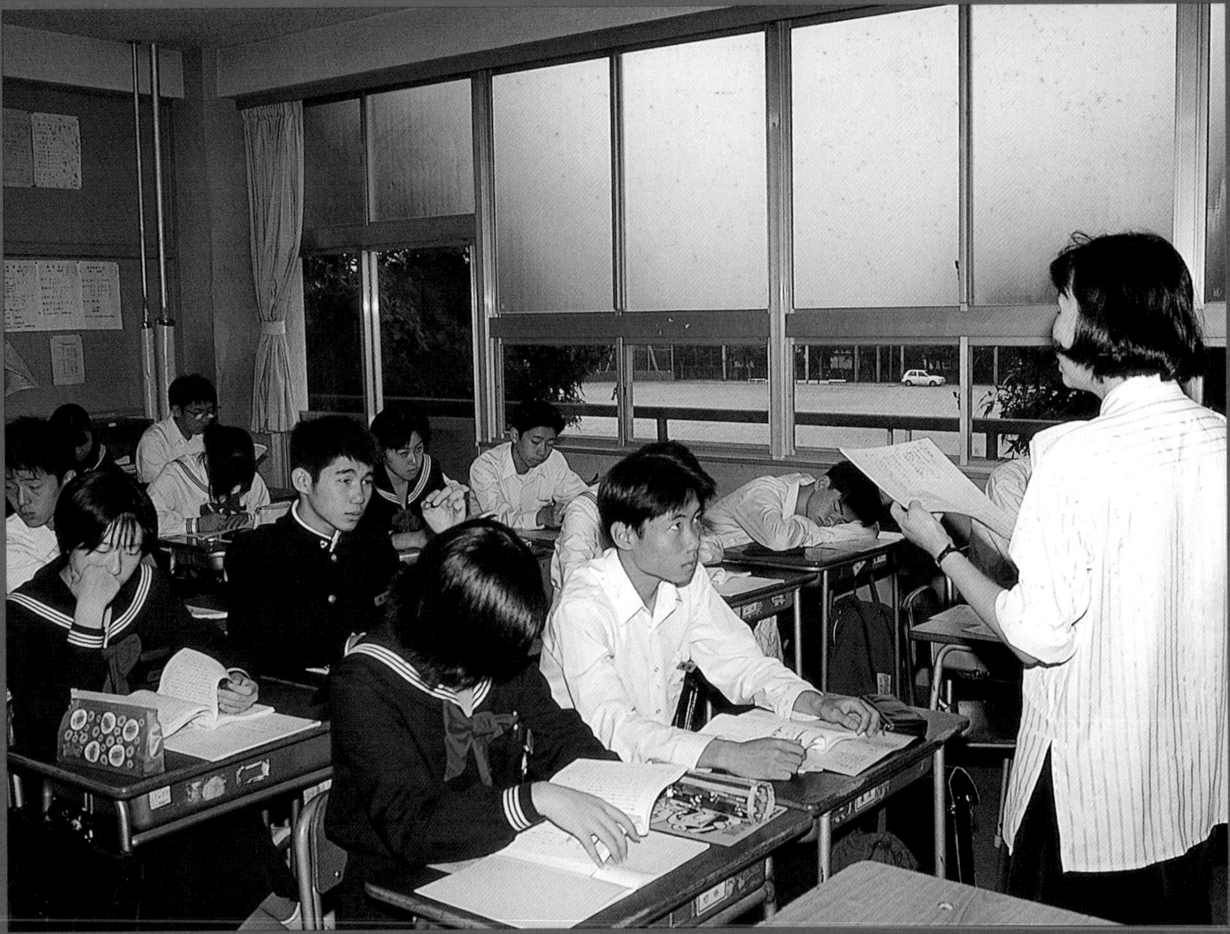

第五課

Learn how to:

- talk about your school life
  - the subjects you study
  - your favourite subject
  - your timetable
  - your year level
  - your teachers
- ask someone about their school life
- say how you find things
- ask someone how they find things
- ask what something is in English or Japanese
- read and write the kanji 何 年 生

Read about cram schools.

学校での一日（いちにち）

みなさん、おはよう！

月曜（よう）日です。今、8時半です。HR（ホームルーム（ほおむるうむ））です。二年生のHRはとてもうるさいです。

なおみさん、はやく！もう8時半だよ。

なおみさんとさえこさんはおそいです。

一じかんめはえい語です。わたしはえい語がすきです。せん生はやさしいです。今日は「have to」をべんきょうします。

はい、ゆきさん、have to の sentence は?

I have to improve my English conversation.

わあ、すごい。がいじんみたい！ゆきさんはえい語がよくできます。

みんな、がんばります。

ながやまくん、have to の
sentenceをよんで。

I have to brothers.

あ〜あ、ながやまくん。
ちょっとちがいますよ。

はい、こくばんをみて。

ニじかんめは9時50分からです。
しゃかいです。
しゃかいはおもしろいです。
せん生もとてもおもしろいです。

つぎはすうがくです。
すうがくはむずかしいです。
でも、ひろくんはよくできます。
いいなあ！

ねえ、ねえ、きいて。
すうがくのテスト、100てん。
ほんとう? すごい!
11
あつこさんもすうがくがよくできます。

きりつ!
れい!
12
四じかんめはおんがくです。

あさのさん、しゅくだいは?
13
ええと…
せん生はとてもきびしいです。

これはEですね。
14
今日はギターをべんきょうします。

15
今12時35分です。ひるやすみです。
おなかすいた!
おべんとうをたべます。おいしいです。
でも、ぎゅうにゅうはまずいです。

16

かていか、つまらない。

一ばんすきなかもくは
かていかです。
かていかは五じかんめです。
今日はやさいと
とりごはんをつくります。
とてもおいしいですよ！

これ、とりにく？

ええ、そう。

おとこのこのバンダナ
をみてください。
かわいいですね。

17

ぼくのバンダナ、かっこいい？

18

つぎはぎじゅつです。
かつくんはChicago Bullsが
だいすきです。

みえさん、ようこさん、
きをつけて！

19

何時にかえりますか。

20

今、3時20分です。そうじをします。
たいそうぎをきます。わたしはそうじが
あまりすきじゃないです。みなさんも
学校のそうじをしますか。

わたしの学校での一日は
これでおわります。
バイバイ。

いってみよう一

さわこさんの一日

まさるくんの一日

一

1 ちり（85てん）

2 れきし（56てん）

二

3 かていか（97てん）

4 たいいく（95てん）

三

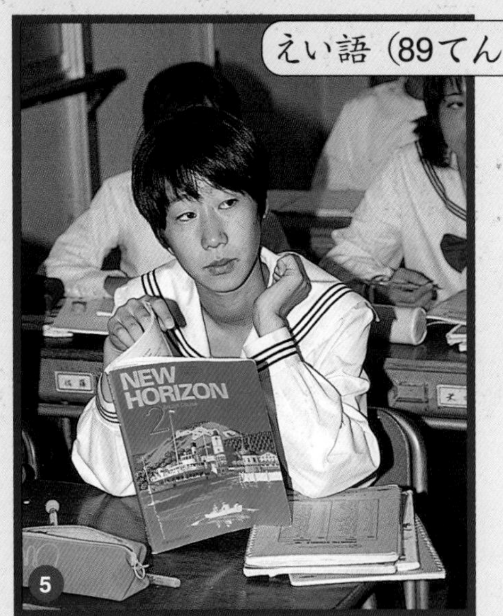

5 えい語（89てん）

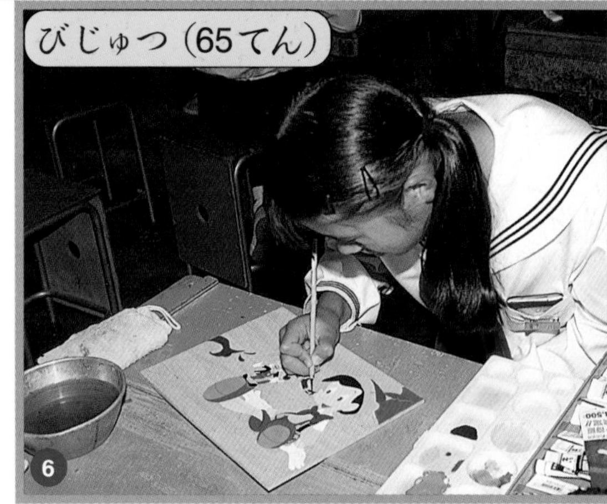

6 びじゅつ（65てん）

学校

四

五

10

コンピューター（こんぴゅうたあ）がく（96てん）

六

12

かがく（87てん）

（さわこさんの）一じかんめは何ですか。

ちりです。

3 さわこさんはかていかがよくできますか。

ええ、よくできます。

or

かていかはまあまあです。

or

いいえ、あまりできません。

いってみよう二

きびしい
やさしい
おもしろい
つまらない
おいしい
まずい
やさしい
むずかしい
うるさい
しずか

せん生

かていか

おべんとう

7 8

このえい語の本

9 10

このクラス

せん生はどうですか。

きびしいです。
or
やさしいです。

せん生はきびしいですか。

ええ、きびしいです。
or
いいえ、やさしいです。

せん生はとてもきびしいですよ。

へえ、ほんとう?

いってみよう三

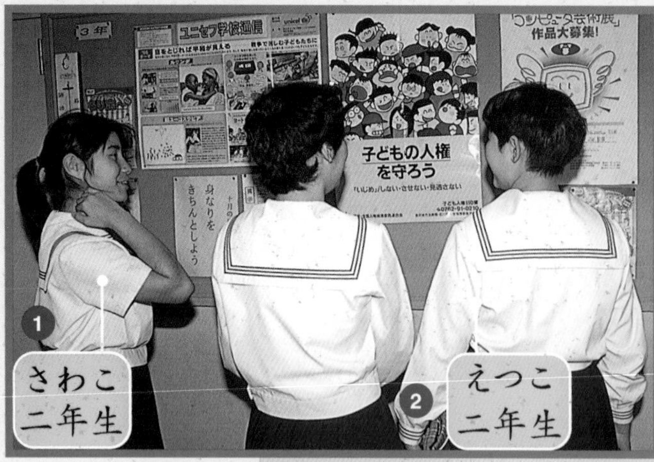

◀
中学生

▶
中学生

◀
小学生

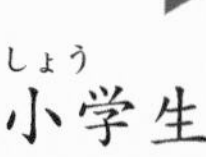

▶ 小(しょう)学生

7 はるこ 五年生

8 みゆき 六年生

▼ 高(こう)校(こう)生

9 てる 一年生

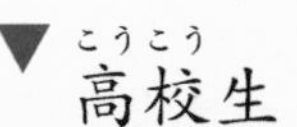

▼ 高(こう)校(こう)生

10 さゆり 三年生

さわこさんは何年生ですか。

中(ちゅう)学二年生です。

おんがくは？

さわちゃん、えい語がよく
できましたねえ。
Very good ですよ。
かていかもすうがくもよくできた！

でも、さわちゃん、おんがくは?
おんがく?
おんがくはあまりできません。
つまらないよ！そして、
せん生はとてもきびしい！

でも、さわちゃんは、らい年
中学三年生だよ。
もっとがんばってね。
つぎのテストはいつ?
らいしゅうの月曜日。
ギターのテスト。
がんばります！

おもしろいね、このまんが。
そうね。でもおにいさんは
うるさいね。

バンドのメンバーは何年生ですか。

ドラマーのけんくんは高校一年生。
そして、キーボードのひろくんは中学三年生。

むし

?!

あのおんなのこ、だれ？
何年生？

ぼくのともだちのさわこ。
中学二年生。

きをつけて！

かわいいな。

わあ！すごい、すごい！
たかしくん、かっこいいね。

またらいしゅう。
じゃ、また！
バイバイ(ばいばい)！

らいしゅうの月曜(よう)日はおんがくのギター(ぎたあ)のテスト(てすと)ですね。でもわたしはギター(ぎたあ)があまりできません。
じゃ、まい日、いっしょにれんしゅうしましょう！

これはCです。
Cですね。

水曜日
木曜日

金曜日

今日はギターのテストです。
すずきさん、どうぞ。
月曜日
すずきさん、よくできました。
つぎはあさのさん。
パチパチ！
パチパチ！
パチパチ！
パチパチ！
おんがく、100てん。
さわちゃん、
よくがんばりましたね。
でも…
しずかにして！
うるさいね。

ふたりで

えみさん、 ひろくん、	今日の	一じかんめ 三じかんめ	は何ですか。

ええと…今日は	火曜日 木曜日 金曜日	ですね。

ええ、	火曜日 木曜日 金曜日	です。

じゃ、	一じかんめ 三じかんめ	は	すうがく コンピューターがく たいいく	ですね。

ああ、そうですか。	すうがく コンピューターがく たいいく	は	むずかしい やさしい つまらない	ですね。

ええ。	そして、 でも、	せん生はとても	やさしい きびしい おもしろい	です。

そうですか。 そうですね。	えみさん、 ひろくん、	あの	おとこのこ おんなのこ	はだれですか。

あ、あの人は	すずきまさひるくん さいと えりこさん	です。	三年生 二年生	です。

そうですか。	かっこいい かわいい	ですね。

ええ。	りえさん、 ゆたくん、	今、何時ですか。

ええと…あ、もう	8時45分！ 10時45分！

ほんとう? はやく！

ことば

あの〜	that 〜
一ばんすきな〜	favourite 〜
えい語で	in English
おとこのこ	boy
おにいさん	Masaru (older brother)
おんなのこ	girl
学校で	at school
ぎゅうにゅう	milk
それ	that
たいそうぎ	sports uniform
だれの	whose
てん	mark, grade
とても	very
とりごはん	chicken and rice
ひるやすみ	lunchtime
まんが	cartoon
みんな	everyone

カタカナのたんご

キーボード (きいぼおど)	keyboard
ギター (ぎたあ)	guitar
テスト (てすと)	test
ドラマー (どらまあ)	drummer
バンダナ (ばんだな)	headband
バンド (ばんど)	band
パチパチ (ぱちぱち)	clap, clap
メンバー (めんばあ)	member

ええと…	umm
じゃ	well, well then
ねえ	hey
へえ	yeah? really?
ほんとう？	really?
わあ	wow

Adjectives

うるさい	noisy
おいしい	delicious, good (tasting)
おもしろい	interesting, fun
かっこいい	cool
かわいい	cute
きびしい	strict
すごい	fantastic
つまらない	boring
まずい	awful (tasting)
むずかしい	difficult
やさしい	easy to do, not too strict (person)

学校

第五課

Year levels

何年生	what year level student?
～年生	～ year student
しょう学～年生	～ year primary, elementary school student
ちゅう学～年生	～ year junior high school student
こう校～年生	～ year senior high school student

いっしょにくる?	do you want to come?
おなかすいた！	I'm starving!
がいじんみたい！	just like a foreigner!
きをつけて	be careful
こくばんをみて	look at the board
これでおわります	we'll finish here
しゅくだいは?	your homework?
ちょっとちがいます	that's not correct
～はどうですか	how about ～? what's ～ like?

あまりできません	can't do (it) very well
かえります	go home
がんばります	try hard
そうじをします	(do) cleaning
べんきょうします	study
もっとがんばって	try harder
よくがんばりました	(she) tried hard
よくできた	well done! (plain speech)
よくできました	well done
よくできます	can do (it) well
よんで	read
れんしゅう	practice
れんしゅうしましょう	let's practise

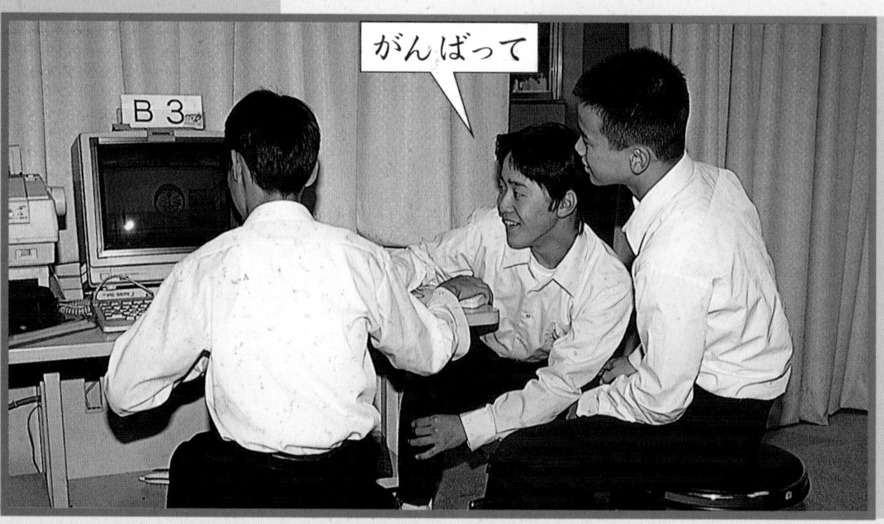

かもく	**Subjects**
おんがく	music
かがく	science
かていか	home economics
がいこく語	foreign language
イタリア(いたりあ)語	Italian
インドネシア(いんどねしあ)語	Indonesian
えい語	English
かんこく語	Korean
ちゅうごく語	Chinese
ドイツ(どいつ)語	German
フランス(ふらんす)語	French
ぎじゅつ	technical skills, metalwork, woodwork
こく語	national language (Japanese in Japan)
コンピューター(こんぴゅうたあ)がく	computer science
しゃかい	social studies
ちり	geography
れきし	history
すうがく	maths
たいいく	physical education
びじゅつ	art

一日(いちにち)	one day
いつ	when?
今から	from now
つぎ	next
またらいしゅう	see you next week
らいしゅう	next week
らい年	next year

よんでみよう

1 These scrolls are entries by students in a calligraphy contest. Look at each entry carefully and see how much information you can work out about the students. Their names and details appear down the left side of each scroll.

2 What is the コーヒー(こうひい) like at this shop?

かいてみよう

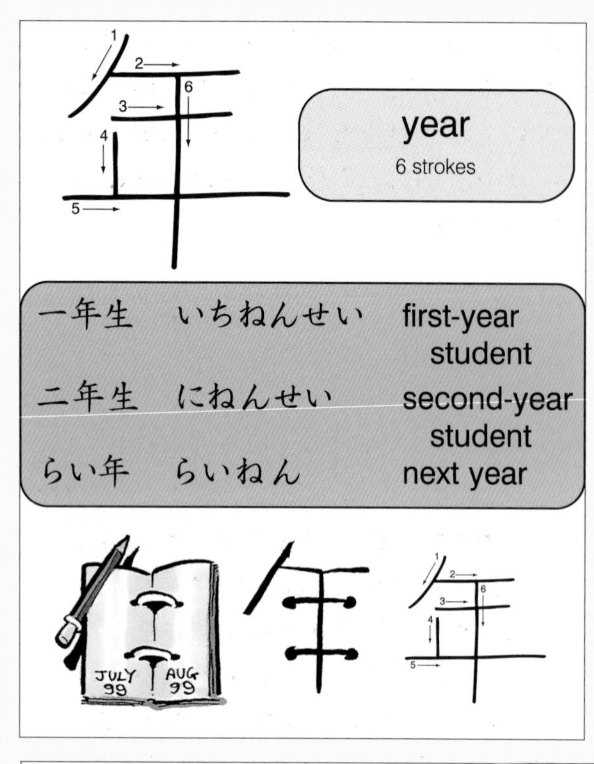

year
6 strokes

一年生	いちねんせい	first-year student
二年生	にねんせい	second-year student
らい年	らいねん	next year

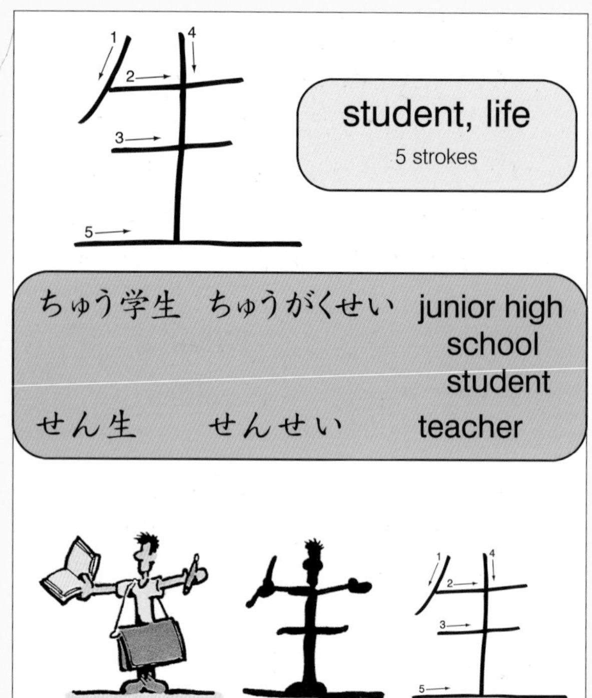

student, life
5 strokes

ちゅう学生	ちゅうがくせい	junior high school student
せん生	せんせい	teacher

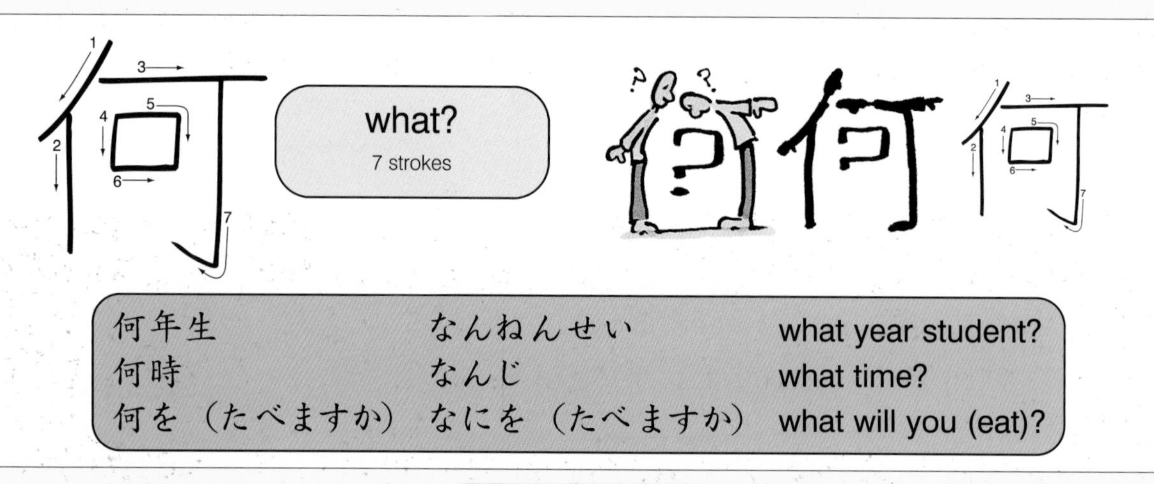

what?
7 strokes

何年生	なんねんせい	what year student?
何時	なんじ	what time?
何を（たべますか）	なにを（たべますか）	what will you (eat)?

New readings

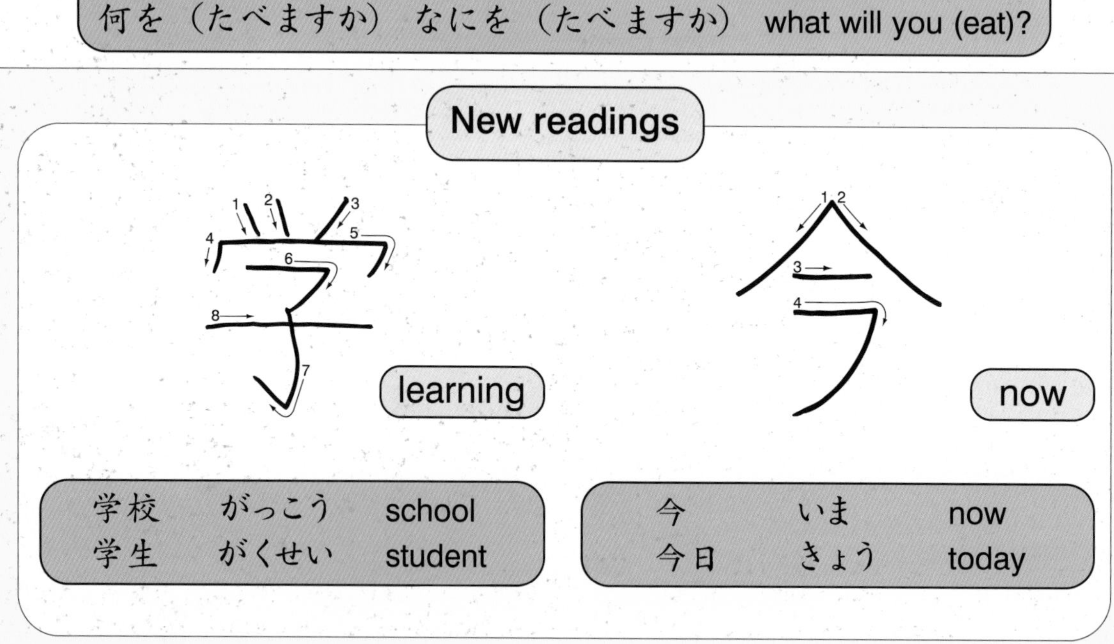

学 **learning**

学校	がっこう	school
学生	がくせい	student

今 **now**

今	いま	now
今日	きょう	today

しってる？

1 ちゅう学二年生
second year, junior high

As you know, in words like しょう学生, ちゅう学生 and こう校生, the 生 kanji means student. When you want to say what year a student is in, you put the year level (〜年) before this kanji.

まさるくんはちゅう学生です。
Masaru is a junior high school student.

まさるくんはちゅう学三年生です。
Masaru is a third-year junior high school student.

2 きびしいですよ！
She's strict!

You can put よ at the end of a sentence to emphasise what you are saying. However, be careful not to overuse よ and it's better not to use it at all with older people who you don't know well – you don't want to sound too much of a know-all!

3 よくできた。 よくできました。
Well done!

You may have noticed that sometimes in the stories in this book, people talk to each other without putting です at the end of their sentences and they occasionally use different endings, such as だ. This is called plain or casual speech and it is used by people who know each other well. You use plain speech when you say おはよう to your friends.

一ばんすきな
かもくはたいいく。
そうね。
あさの まさるくんはかっこいいね！

学校

第五課

おもしろい日本

じゅく

らい年、まさるくんは高(こう)校に行きます。
高(こう)校のにゅうがくしけんはむずかしいです。
だから、まさるくんは今じゅくに行っています。
じゅくはえい語でcram schoolです。

これはじゅくのスケジュール(すけじゅうる)です。

	月	火	水	木	金	土
英語(えいご)	○	○	○	○	○	○
数学(すうがく)	○	○	○	○	○	○
国語(こくご)	○	○	○			
科学(かがく)				○	○	○
社会(しゃかい)	○		○		○	

まさるくんは火曜(よう)日と木曜(よう)日に行きます。えい語は6時から7時半までです。
すうがくは8時から9時半までです。
まさるくんはよくべんきょうしますね！

にゅうがくしけん	entrance exams
だから	therefore
行っています	goes
スケジュール(すけじゅうる)	schedule

しつもん

1 まさるくんは今、高(こう)校生ですか、中(ちゅう)学生ですか。

2 まさるくんは火曜(よう)日と木曜(よう)日にどこに行きますか。

3 まさるくんはせいふくをきますか。

4 まさるくんは何をべんきょうしますか。

5 まさるくんのえい語のクラス(くらす)は何時からですか。

6 じゅくのこく語のべんきょうはまい日ですか。

7 かがくは何曜(よう)日と何曜(よう)日ですか。

8 「cram school」は日本語で何ですか。

みんなで

1 Let's クイズ (くいず)

How well do you know your vocabulary? How about having a test with your partner? You could test, say, ten words from Japanese to English and ten from English to Japanese. Keep score and see if you can match (or better!) your partner's effort.

2 そうですね！ そうですか?

Write at least seven statements about school – which teachers are strict, which are not, the subjects you can do well, the subjects you like, the subjects you find difficult, what the food is like at your school canteen or kiosk.

When your friend hears your statements, they will either agree with what you have said with an enthusiastic そうですね！or say そうですか? in a disbelieving way. How many statements did you and your friend agree on?

くいず
クイズ

おぼえていますか。 Do you remember?

Here's a quiz to test how much you remember about Sawako and Masaru's school life. Write the answers in your notebook. Use the scale at the end to check your rating.

1 さわこさんとまさるくんの学校のなまえは＿＿＿＿＿です。
- a 金沢中学校（かなざわちゅうがっこう）
- b 高岡中学校（たかおかちゅうがっこう）
- c 高岡小学校（たかおかしょうがっこう）

2 学生は、みんな、せいふくをきますか。
- a 時々。
- b はい。
- c いいえ。

3 まさるくんはどうやって学校に行きますか。
- a あるいて行きます。
- b じてんしゃで行きます。
- c お父さんのくるまで行きます。

4 さわこさんは＿＿＿＿＿学校に行きます。
- a 一人で
- b ともだちと
- c お母さんと

5 学校は何時からですか。
- a まい日、8時からです。
- b まい日、8時半からです。
- c まい日、9時からです。

6 さわこさんとまさるくんは土曜（よう）日にも学校に行きますか。
- a 時々。
- b はい。
- c いいえ。

7 まさるくんは＿＿＿＿＿です。

a 高(こう)校一年生

b 中(ちゅう)学一年生

c 中(ちゅう)学三年生

8 さわこさんはひるやすみに＿＿＿＿＿をたべます。

a トースト(とおすと)

b おべんとう

c あさごはん

9 さわこさんの一ばんすきなかもくは＿＿＿＿＿です。

a おんがく

b すうがく

c かていか

10 さわこさんは＿＿＿＿＿があまりすきじゃないです。

a そうじ

b おべんとう

c えい語のせん生

11 まさるくんは＿＿＿＿＿にじゅくに行きます。

a 火曜(よう)日と金曜(よう)日

b 水曜(よう)日と木曜(よう)日

c 火曜(よう)日と木曜(よう)日

12 らい年、まさるくんは＿＿＿＿＿です。

a 高(こう)校一年生

b 中(ちゅう)学三年生

c 高(こう)校三年生

12–9点(てん)	よくできました！	What a memory!
8–5点(てん)	がんばって！	Sometimes you're a bit forgetful.
1–4点(てん)	もっとがんばって！	Maybe it's time for some revision!

しゅうがくりょこう

第六課

Learn how to:

- talk about a school trip
- talk about things you did
- ask someone what they did
- say how you found things
- ask someone what something was like
- say on what date you did something
- find out when someone's birthday is
- say where you did something
- read and write the kanji 見 大

Read about the print club.

しゃしん、見せて！

ねえ、みんな、
これを見て！

さわこ、こちらはすずきさん。
はじめまして。
さわこです。
どうぞよろしく。

さわこさんですね。
はじめまして。
さわちゃん、何？

しゅうがくりょこうの
しゃしんです。

いつしゅうがくりょこうに
行きましたか。
10月の2日から6日まで行きました。
せんしゅうの土曜日にかえりました。

しゃしんをたくさん
とりましたか。
はい、たくさんとりました。
つまらない！
いいですね。見せてください。

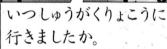

しゅうがくりょこう

第六課

2日に京都(きょうと)にでんしゃで行きました。
京都(きょうと)でおてらを見ました。

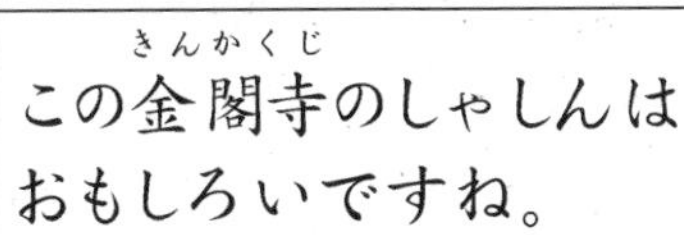

3日に金閣寺(きんかくじ)を見ました。
よかったです。

この金閣寺(きんかくじ)のしゃしんはおもしろいですね。
そうですね。とてもおもしろいです。このおんなのこのなまえは?

えっ!

つぎに、二条城（にじょうじょう）に行きました。

さわちゃんも
がいこく人（じん）と
はなしたの？

ええ、このがいこく人（じん）とえい語ではなしました。
えい語のべんきょうでした。むずかしかったです。
でも、おもしろかったです。

さわこさん、京都（きょうと）でにわを
見ましたか。

はい、にわを
たくさん見ました。

このにわはよかったです。

さわこ、まい日、
おてらとにわを見たの?
いいえ、ともだちとあそびました。
そして、時々、かいものをしました。
えいがも見ましたよ。

そして、チョコレート(ちょこれえと)を
たくさんたべました。

そのおかしはおいしいですよ。
いいえ、まずいですよ。
京都(きょうと)でおみやげをかいました。

さわこは京都(きょうと)の
おかしをかいました。
おいしかったです。
いいえ、まずかったです。

4日に奈良(なら)に行きました。
奈良(なら)で奈良(なら)の大仏(だいぶつ)を見ました。
とても大きかったです。

いただきます！

そして、こうえんで
しかを見ました。
しかはせんべいをたべました。
しかはとてもかわいかったです。

ぼくも7月に奈良(なら)に行きました。
とてもあつかったです。
しかはちょっとくさかったです。

5日にしんかんせんで大阪(おおさか)に行きました。
このしゃしんは大阪城(おおさかじょう)です。
たかかったです。ちょっとうるさかったです。
6日に金沢(かなざわ)にかえりました。
しゅうがくりょこうはとてもたのしかったです。

あ〜あ、おなかすいた！

じゃあ、ばんごはんをたべ…

お母さん、ちょっとまって。
すずきさん、おねえちゃんの
クラス(くらす)のしゃしんを見てください。
どうぞ。

さわこさんはどこですか。

高岡中学校修学旅行記念　（奈良・東大寺）

いってみようー

しゅうがくりょこう

第六課

京都（きょうと）で何をしましたか。

おてらを見ました。
or
ともだちとあそびました。

どこに行きましたか。

京都（きょうと）に行きました。

いってみよう二

京都（きょうと）

1

京都（きょうと）

2

奈良（なら）

3

東京（とうきょう）

絶滅したはずだった…
スティーブン・スピルバーグ監督作品
ロスト・ワールド
ジュラシック・パーク
THE LOST WORLD: JURASSIC PARK
UIP配給／ユニヴァーサル映画

4

うるさかった
おおきかった
おもしろかった
かわいかった
くさかった
たかかった
つまらなかった
よかった

鎌倉（かまくら）

5

◀ 大仏（だいぶつ）

横浜（よこはま）

6

▲ ブラスバンド（ぶらすばんど）

どこでおてらを見ましたか。
京都（きょうと）で見ました。

どうでしたか。
よかったです。

ふたりで

おはよう。
こんにちは。
こんばんは。

あ、	おはよう。 こんにちは。 こんばんは。	せんしゅうの土曜日 きのう	は	あつかったですね。 さむかったですね。

そうですね。 ほんとうに。	何をしましたか。

まち こうえん	に行きました。

ああ、そうですか。だれと行きましたか。

りょうしん ともだち いぬ	と行きました。

まち こうえん	で何をしましたか。

ええと…	しゃしんをとりました。 えいがを見ました。 かいものをしました。

どうでしたか。

とても	たのしかった つまらなかった おもしろかった	です。	わたし ぼく	は	しゃしん えいが かいもの	が	だいすきです。 あまりすきじゃないです。

第六課 しゅうがくりょこう

いってみよう三

1 ビデオ（びでお）

11月14日(金)ビデオレンタル開始

2

3

4

れえざあでぃすく
レーザーディスク

8/9（金）発売！

『超光戦士シャンゼリオン①

5

TVシリーズ全35話
大鉄人17（ワンセブン）
（Wジャケット/2枚組4面/8話収録/第1話～第8話）
Vol.1
11/21(木) ON SALE

6

チョコボの不思議なダンジョン
12月23日販売開始予定／6,800円

びでおげえむ
ビデオゲーム

7

GUNBULLET
ガンバレット＋ガンコン
8月7日発売
¥7,800（税別）
SLPS-00929

8

このビデオ（びでお）はいつでましたか。
10月31日にでました。

レーザーディスク（れえざあでぃすく）	laser disk
でました	came out

かいてみよう

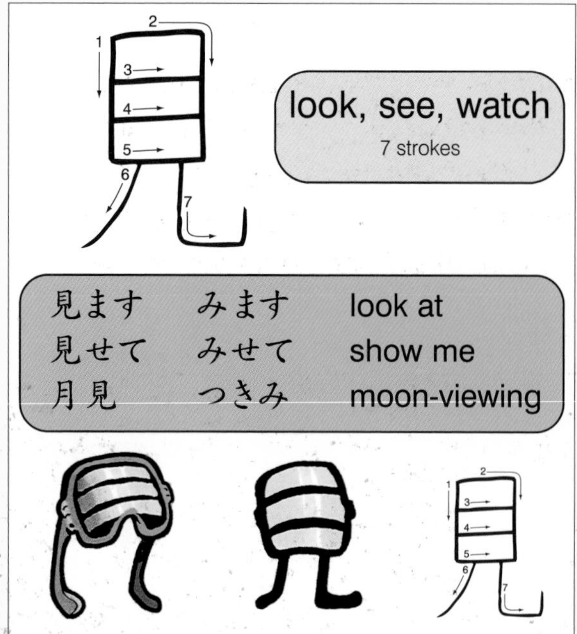

見 — look, see, watch
7 strokes

見ます	みます	look at
見せて	みせて	show me
月見	つきみ	moon-viewing

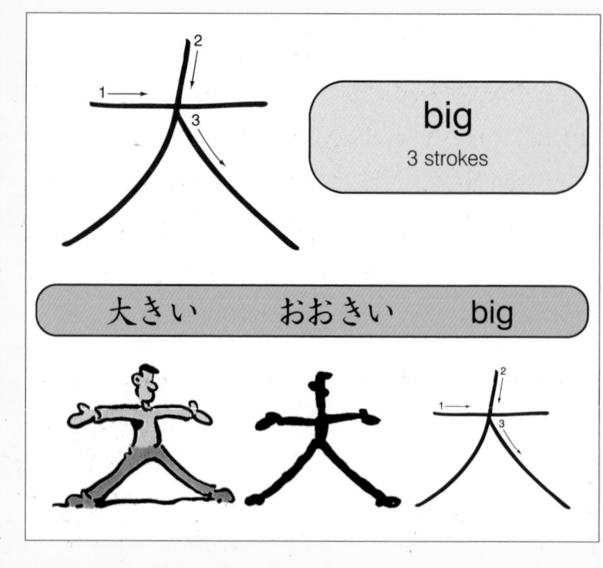

大 — big
3 strokes

大きい	おおきい	big

New readings

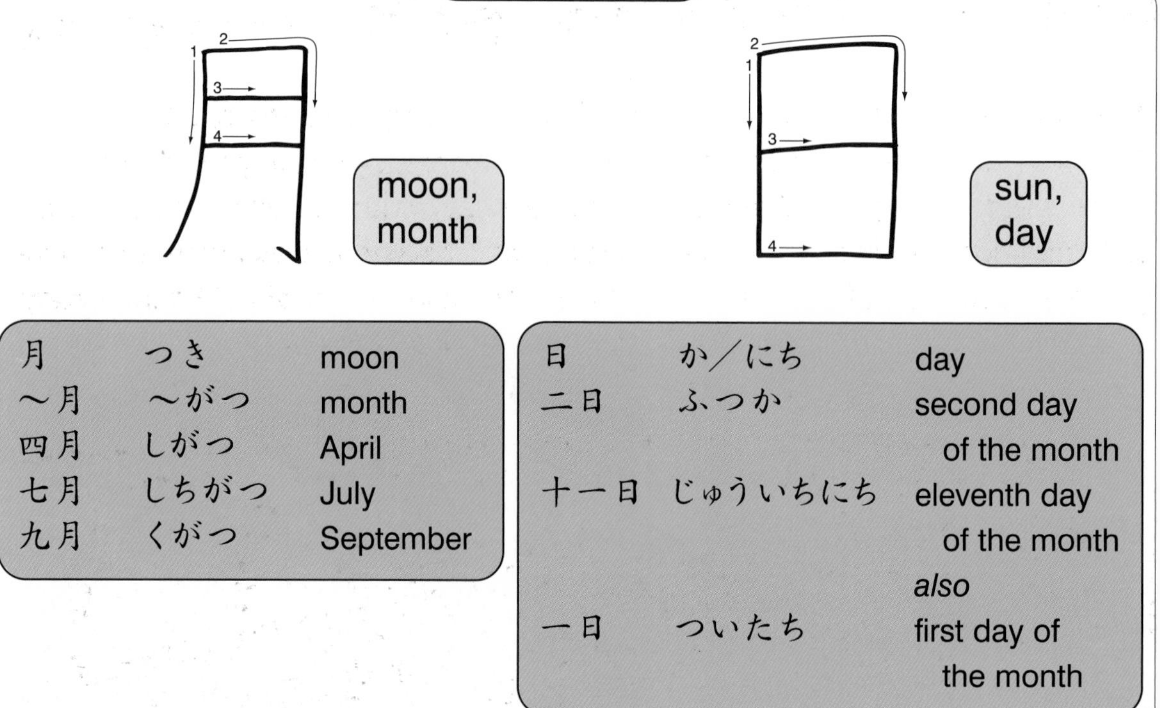

月 — moon, month

月	つき	moon
～月	～がつ	month
四月	しがつ	April
七月	しちがつ	July
九月	くがつ	September

日 — sun, day

日	か／にち	day
二日	ふつか	second day of the month
十一日	じゅういちにち	eleventh day of the month
		also
一日	ついたち	first day of the month

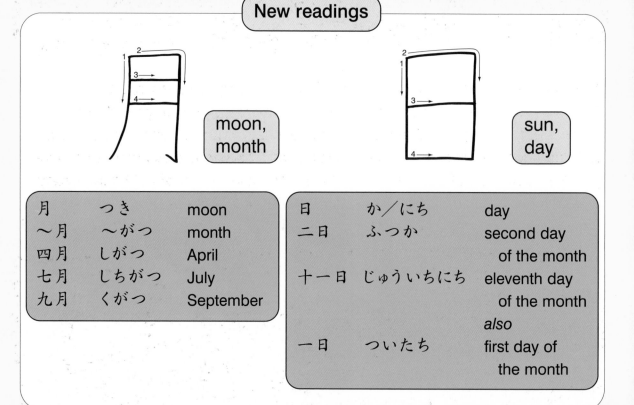

みんなで

1 日本に行きました。

Your friend has been to Japan on a school trip and you've been asked to write an article about the trip for the school newsletter. Interview your friend and find out the dates they went, where they went, what they saw, how they travelled around, if they took photos, if they bought souvenirs, etc. When you are putting your article together, don't forget to introduce your friend and give your readers some biographical information.

いつ日本に行きましたか。
7月15日に行きました。
とてもあつかったですよ！

2 たんじょうびのーれつレース(れえす) The birthday line-up race

Form into groups of six or seven students and choose a point in your classroom to call the 1月1日 point. Every group member should stand behind this point in birthdate order. To find out where you fit in, you'll have to ask everyone else in the group おたんじょうびはいつですか. Each person in the line should then quickly give their birthdate so that everyone else can check their order.
Were you in the group that was the 一ばん はやい (fastest) and the most accurate?

おたんじょうびは
いつですか。
4月1日です。
1月1日
わたしのたんじょうびは
3月31日です。

しってる？

1 えいがを見ました。
I saw a film.

To say that you have done (or seen, or eaten, or bought) something, change the final ending of the verb from ます to ました.

せんしゅう、まちに行きました。
Last week I went to town.
かいものをしました。
I did some shopping.

です changes to でした.

えい語のべんきょうでした。
It was English study.
どうでしたか。
How was it?

2 京都でおてらを見ました。
We looked at temples in Kyoto.

で after the name of a place means *at* or *in* that place. You can use this to say what you do or did at that place. Don't confuse place で (*at*/*in* a place) with place に (*to* a place). Of course you already know about で to show *by* a means of transport.

Look at these two sentences:

京都にでんしゃで行きました。
We went *to* Kyoto *by* train.
京都でしゃしんをとりました。
In Kyoto we took some photos.

Sometimes these particles get a bit tricky but がんばって！ Japanese students learning English also find little words like *on*, *in*, *at*, *to*, *by*, *until* and *from* むずかしい.

▼ 京都でおみやげをかいました。

3 いつ行きましたか。
When did you go?

Note that there isn't a particle after the question word いつ. Sometimes に is used after the time word in the response.

いつしゅうがくりょこうに行きましたか。
When did you go on your school trip?
4月に行きました。
We went *in* April.
水曜日に行きます。
I'm going *on* Wednesday.

Sometimes に is not used in the response.

せんしゅうかえりました。
We returned last week.
きのう行きました。
I went yesterday.

One way to remember if you need to put in に is to think whether you would put *on*, *in* or *at* after the time word in English. If you don't need it in English, you don't need it in Japanese either.

4 こちらは… This is…

Use the polite word こちら to introduce someone.

こちらはすずきさんです。
This is Mr Suzuki.
こちらはまつもとせん生です。
This is my teacher, Ms Matsumoto.

You don't have to use こちら to introduce your family or friends.

5 おもしろかったです。 It was fun.

To say that something *was* good or *was* difficult, you need to make a change to the adjective. Look carefully at the list below and see if you can work out the rule.
You can see that いい can only be used to say that something *is* good.
よい also means *is* good. To say that something *was* good, apply to よい the rule of changing the final い to かった.
です is added for politeness.
When your friend asks how you found the test, you might say むずかしかった.
But if your teacher asks, you should say むずかしかったです.

6 Even more about の

の can be used with some time words to give specific times.

せんしゅうの金曜(よう)日にかえりました。
We returned last Friday.
らいしゅうの水曜(よう)日は15日です。
Next Wednesday is the 15th.

▼ 10月20日にしゅうがくりょこうに行きました。とてもたのしかったです。

おもしろいです	is interesting	おもしろかったです	was interesting
あついです	is hot	あつかったです	was hot
うるさいです	is noisy	うるさかったです	was noisy
くさいです	is smelly	くさかったです	was smelly
たかいです	is high	たかかったです	was high
たのしいです	is enjoyable	たのしかったです	was enjoyable
大きいです	is big	大きかったです	was big
いい／よいです	is good	よかったです	was good

おもしろい日本

プリントクラブ

みなさん、プリントクラブを見ましたか。
日本でプリントクラブは学生ににんきがあります。

1

プリントクラブのきかいはしゃしんをとります。
そして、シールをつくります。

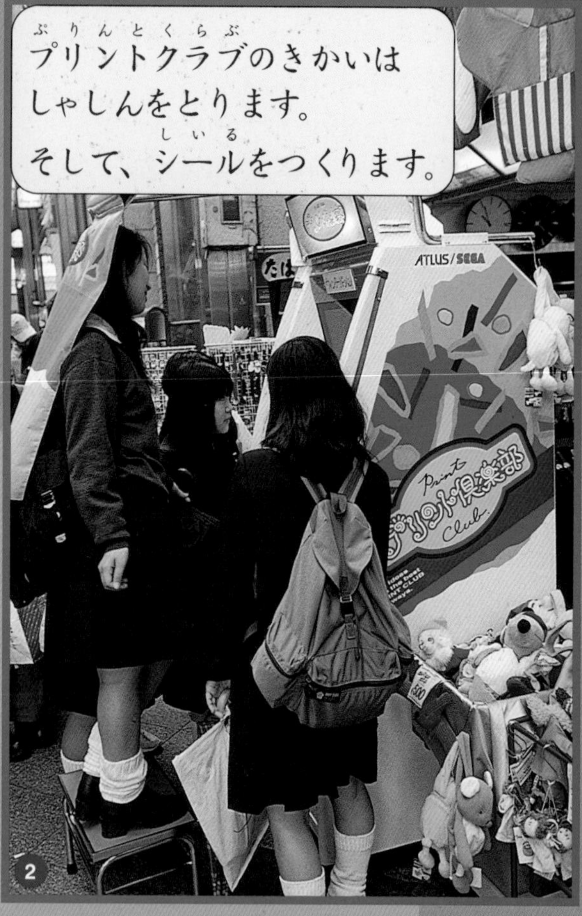

2

3

ともだちといっしょにプリントクラブに行きます。

4

Ami さんはとてもかわいいですね。

Puffy のプリントクラブはおもしろいですね。

これはシール(しいる)のてちょうです。
みんなはシール(しいる)をあつめます。
そして、ともだちと
こうかんします。

5

あきこさんとさちこさんはまいこです。
京都(きょうと)にすんでいます。
せんしゅう、東京(とうきょう)に行きました。
東京(とうきょう)でプリントクラブ(ぷりんとくらぶ)を見ました。

6

そして、シール(しいる)をつくりました。

7

8

9

これはあきこさんと
さちこさんのシール(しいる)です。
みなさん、どうおもいますか。

プリントクラブ(ぷりんとくらぶ)	print club
～ににんきがあります	is popular with ～
きかい	machine
シール(しいる)	seal, sticker
てちょう	notebook
あつめます	collect
こうかんします	swap, exchange
まいこ	*maiko*, apprentice geisha
どうおもいますか	what do you think?

ことば

えいが	movie, film
おかし	Japanese sweets, cakes
おてら	temple
おみやげ	souvenir
かいもの	shopping
こうえん	park
こちら	this (polite)
がいこく人(じん)	foreigner
しか	deer
しゃしん	photo
しゅうがくりょこう	school trip
せんべい	Japanese crackers
たんじょうび	birthday
にわ	garden
ばんごはん	evening meal, dinner

あそびます	muck about, hang out
かいます	buy
とります	take
はなします	speak
はなしたの?	did you speak? (plain speech)
見せて	show me
見たの?	did you look at? (plain speech)
見ます	look at, watch, see

きのう	yesterday
せんしゅう	last week
その～	that ～
たくさん	many
ちょっと	a bit
ちょっとまって	wait a minute

大(おお)きい	big
くさい	smelly
たかい	high
たのしい	enjoyable, fun

Places

京都(きょうと)	Kyoto
金閣寺(きんかくじ)	Golden Temple
二条城(にじょうじょう)	Nijo Castle
奈良(なら)	Nara
大仏(だいぶつ)	Big Buddha
大阪(おおさか)	Osaka
大阪城(おおさかじょう)	Osaka Castle

なんがつなんにち
何月何日ですか

Months
何月　なんがつ　what month?

Days of the month
何日　なんにち　what day of the month?

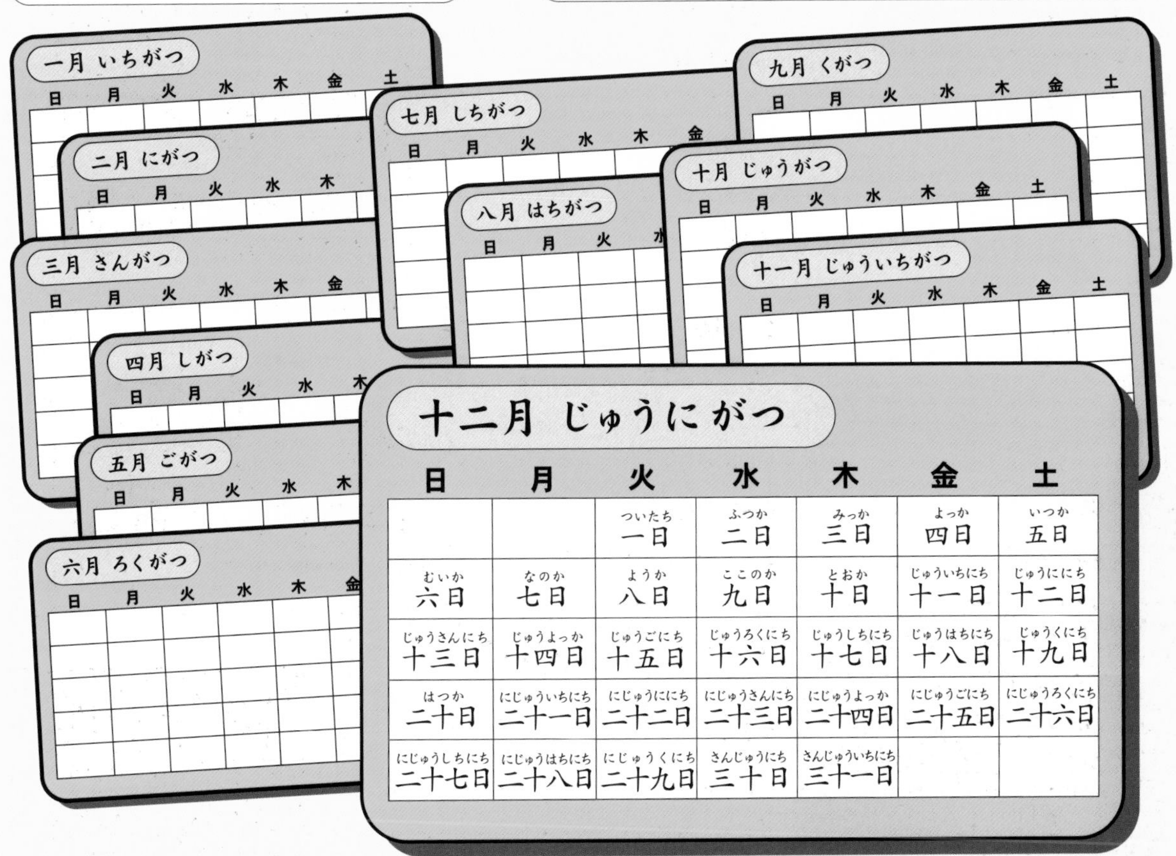

日	月	火	水	木	金	土
		ついたち 一日	ふつか 二日	みっか 三日	よっか 四日	いつか 五日
むいか 六日	なのか 七日	ようか 八日	ここのか 九日	とおか 十日	じゅういちにち 十一日	じゅうににち 十二日
じゅうさんにち 十三日	じゅうよっか 十四日	じゅうごにち 十五日	じゅうろくにち 十六日	じゅうしちにち 十七日	じゅうはちにち 十八日	じゅうくにち 十九日
はつか 二十日	にじゅういちにち 二十一日	にじゅうににち 二十二日	にじゅうさんにち 二十三日	にじゅうよっか 二十四日	にじゅうごにち 二十五日	にじゅうろくにち 二十六日
にじゅうしちにち 二十七日	にじゅうはちにち 二十八日	にじゅうくにち 二十九日	さんじゅうにち 三十日	さんじゅういちにち 三十一日		

わたしの日本のりょこう

How about going to 日本 on a しゅうがくりょこう or just on a りょこう (trip)?
Here are some questions to get you started and of course you can do some research!

いつ行きますか。
だれと行きますか。
どこに行きますか。
どうやって行きますか。

京都（きょうと）に行きますか。
京都（きょうと）で何をしますか。
何を見ますか。

おみやげをかいますか。
しゃしんをとりますか。
何をたべますか。

よんでみよう

1 What is this restaurant called?

2 These are cakes for special occasions. Try to work out what they are for.

3 What is this offer? Why do you think that it is called this? Was Sawako able to have this for lunch during her school trip?

4 This is a label from a packet. What is in the packet?

5 What is the title of this film?

6 It's Tuesday 20 October. Can Mrs Asano see this film today?

うさぎ	rabbit, hare
バーガー (ばあがあ)	hamburger
より	from

ひまな時

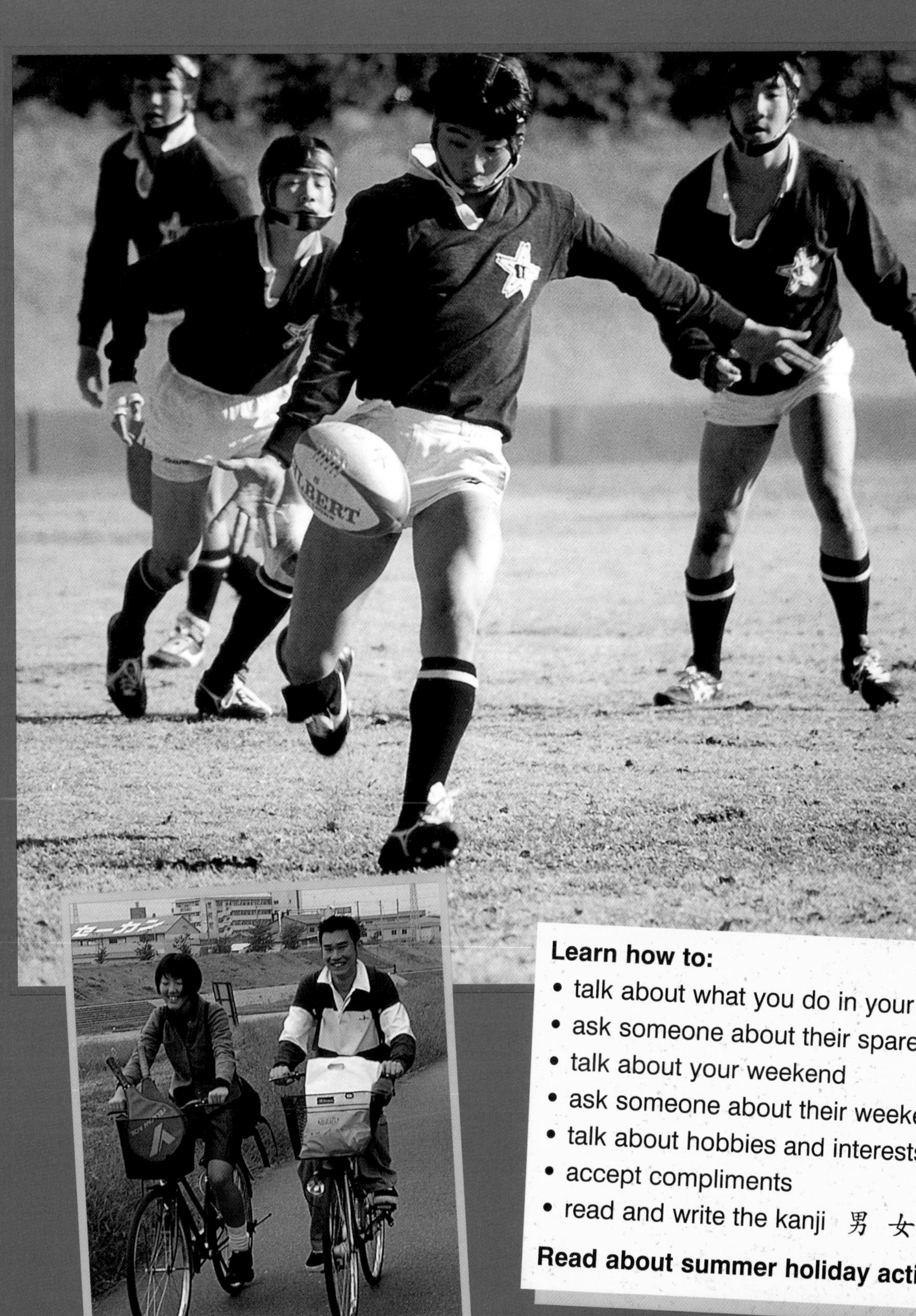

第七課

Learn how to:

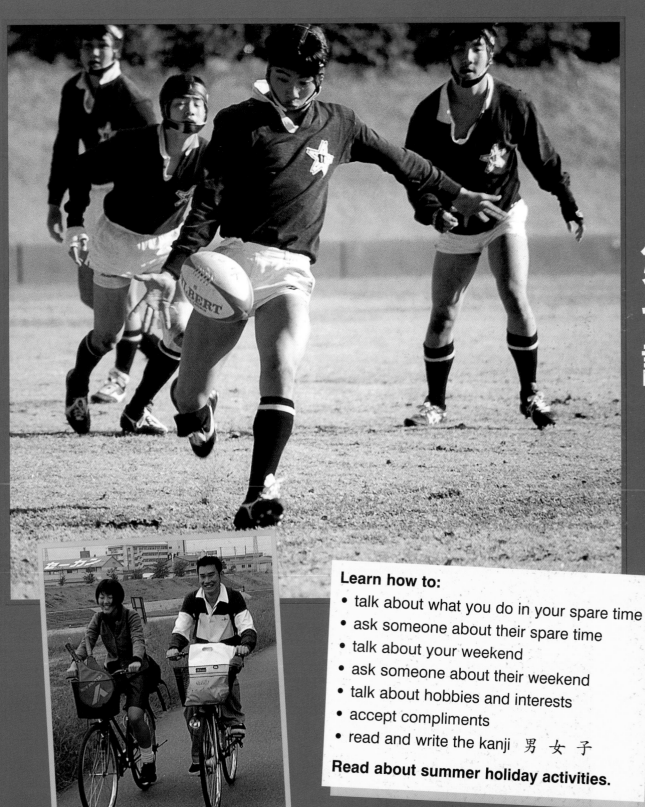

- talk about what you do in your spare time
- ask someone about their spare time
- talk about your weekend
- ask someone about their weekend
- talk about hobbies and interests
- accept compliments
- read and write the kanji 男 女 子

Read about summer holiday activities.

ひまとしゅみ

今日は！みな子です。
みなさん、ひまな時、何をしますか。
テレビを見ますか。かいものをしますか。
さんぽに行きますか。うちでごろごろしますか。

わたしは、ひまな時、よくうちで父とあそびます。
父はとてもやさしい人です。

父とビリヤードをします。

たっきゅうもします。
父はたっきゅうがじょうずです。
でも、わたしはへたです。

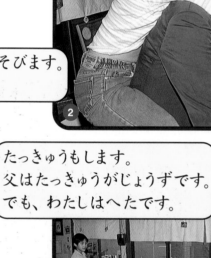

時々、おはじきをします。
おはじきはおもしろいゲームです。

みなさんのしゅみは何ですか。
あねのしゅみはテレホンカードあつめです。
テレホンカードがたくさんあります。

あねはりょうりもすきです。
時々、おいしいデザートをつくります。

わたしはえがすきです。
これはわたしのえです。

お母さん、これ、見て！
「ベイブ」のぬりえのコンテスト。
ぬりえが大すき！

いいね。がんばってね！

はい、デザート。どうぞ。

あ、さわちゃん、
いただきます。

いってみよう―

1 テレホンカードあつめ

しゅみは何ですか。

しゅみですか。そうですね。テレホンカードあつめがすきです。

2 シールあつめ

3 きってあつめ

にわしごと 4

さかなつり 5

ぶかつ

みなさん、学校のあと、何をしますか。
すぐうちにかえりますか。
日本では、学校のあと、学生は
ぶかつをします。ぶかつはクラブ(くらぶ)かつどうです。クラブ(くらぶ)がたくさんあります。

みなさん、スポーツ(すぽおつ)をしますか。
ぼくはスポーツ(すぽおつ)が大すきです。
一ばんすきなスポーツ(すぽおつ)はサッカー(さっかあ)です。
だから、ぼくはサッカー(さっかあ)ぶのメンバー(めんばあ)です。

この男の子を見て。
サッカー(さっかあ)がとてもじょうずです。
Jリーグ(りいぐ)のせんしゅみたいだ！

この男の子はたっきゅうぶのメンバー(めんばあ)です。
ぼくはたっきゅうがへたです。

一、二…

この女の子はバスケットボールぶのメンバーです。
よくれんしゅうします。
月曜日から金曜日まで、まい日れんしゅうします。

男の子のバスケットボールぶのメンバーも、
まい日、れんしゅうします。
時々、土曜日にも、れんしゅうしますよ。

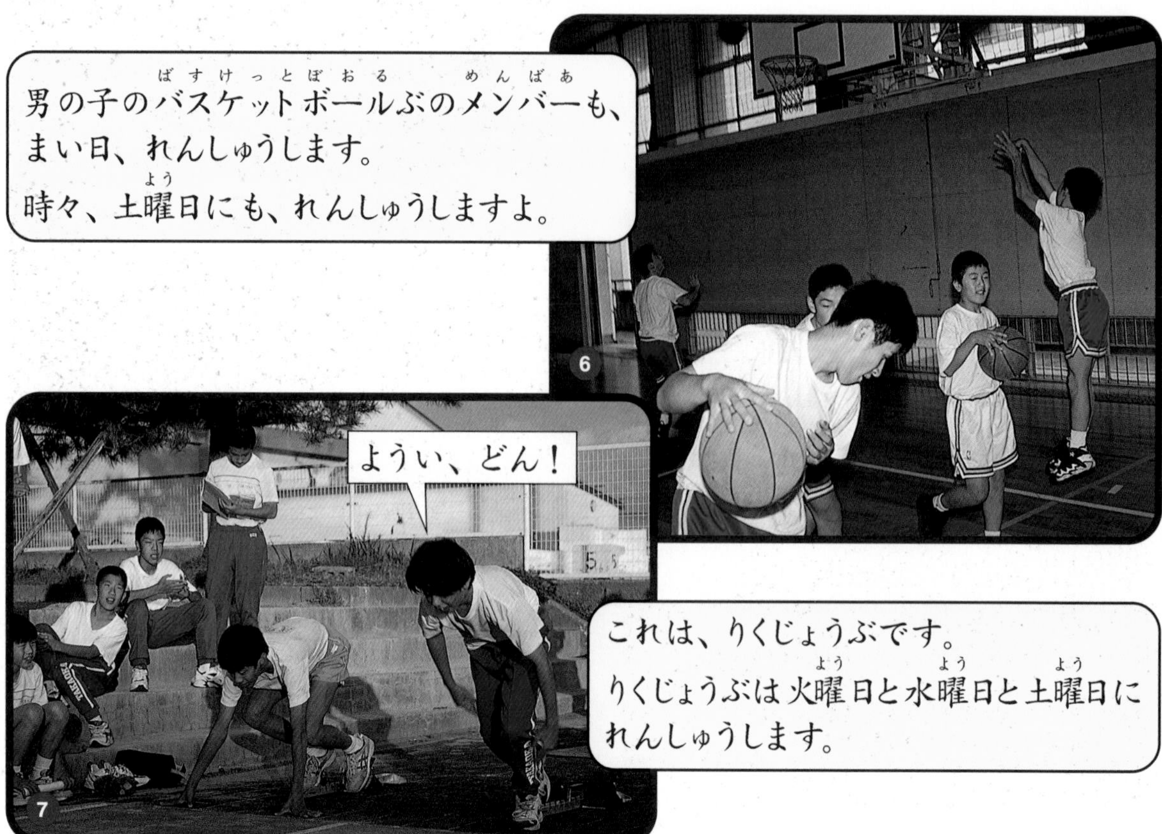

これは、りくじょうぶです。
りくじょうぶは火曜日と水曜日と土曜日に
れんしゅうします。

女の子のバレーボールぶのれんしゅうです。
まい日、5時半までれんしゅうします。

9

けんどうぶのメンバー(めんばあ)はせん生とれんしゅうします。
けんどうぶのれんしゅうは火曜(よう)日と金曜(よう)日です。
吉本(よしもと)さんはけんどうがじょうずです。

11

10

女の子も男の子もテニス(てにす)をします。

12

やきゅうぶもよくれんしゅうします。
せん生も、時々、学校のあと、
スポーツ(すぽおつ)をします。
今日はソフトボール(そふとぼおる)です。
せん生はれんしゅうしません。

いってみよう二

かいものに行きます。

ビデオゲーム(びでおげえむ)をします。

サイクリング(さいくりんぐ)に行きます。

えいがに行きます。

ごるふ
ゴルフをれんしゅうします。
7

ごろごろします。
6

本をよみます。
8

ひまな時、何をしますか。

かいものに行きます。

ひまな時、かいものに行きますか。

ええ、よく行きます。

or

時々、行きます。

or

いいえ、行きません。

いってみよう三

テニス（てにす）

ジョギング（じょぎんぐ）

ラグビー（らぐびい）

すいえい

スキー（すきい）

6 やきゅう

7 バスケットボール（ばすけっとぼおる）

8 ゴルフ（ごるふ）

9 アイスホッケー（あいすほっけえ）

どんなスポーツ（すぽおつ）をしますか。

テニス（てにす）をします。

テニス（てにす）をしますか。

ええ、します。

or

テニス（てにす）ですか。テニス（てにす）はしません。

テニス（てにす）がじょうずですね。

いいえ、まだへたです。

しゅうまつに何をしましたか

えりさん、しゅうまつに何をしましたか。
うちでごろごろしました。そして、りょうしんとさんぽに行きました。ちょっとつまらなかったですよ。
月曜日

さわこさんのしゅうまつはどうでしたか。
とてもたのしかったです。
何をしましたか。
ともだちのうちに行って、おんがくをききました。

おんがく!? でもさわこさんはおんがくがすきでしたか。
ええ、わたしはおんがくが大すき。せんしゅうのおんがくのテストは100てんでしたよ。

それから、何をしましたか。
べんきょうしました。
へえ！べんきょうしましたか。ほんとう？
ええ。べんきょうはたのしかったですよ。

しんじられない！

サイクリングにも行きましたよ。
へえ？サイクリングに…？

ええ、わたしはサイクリングがじょうずですよ！

さわこさん、だれのうちに行きましたか。
たかしくんのうちに…

あ、だから…

いってみよう四

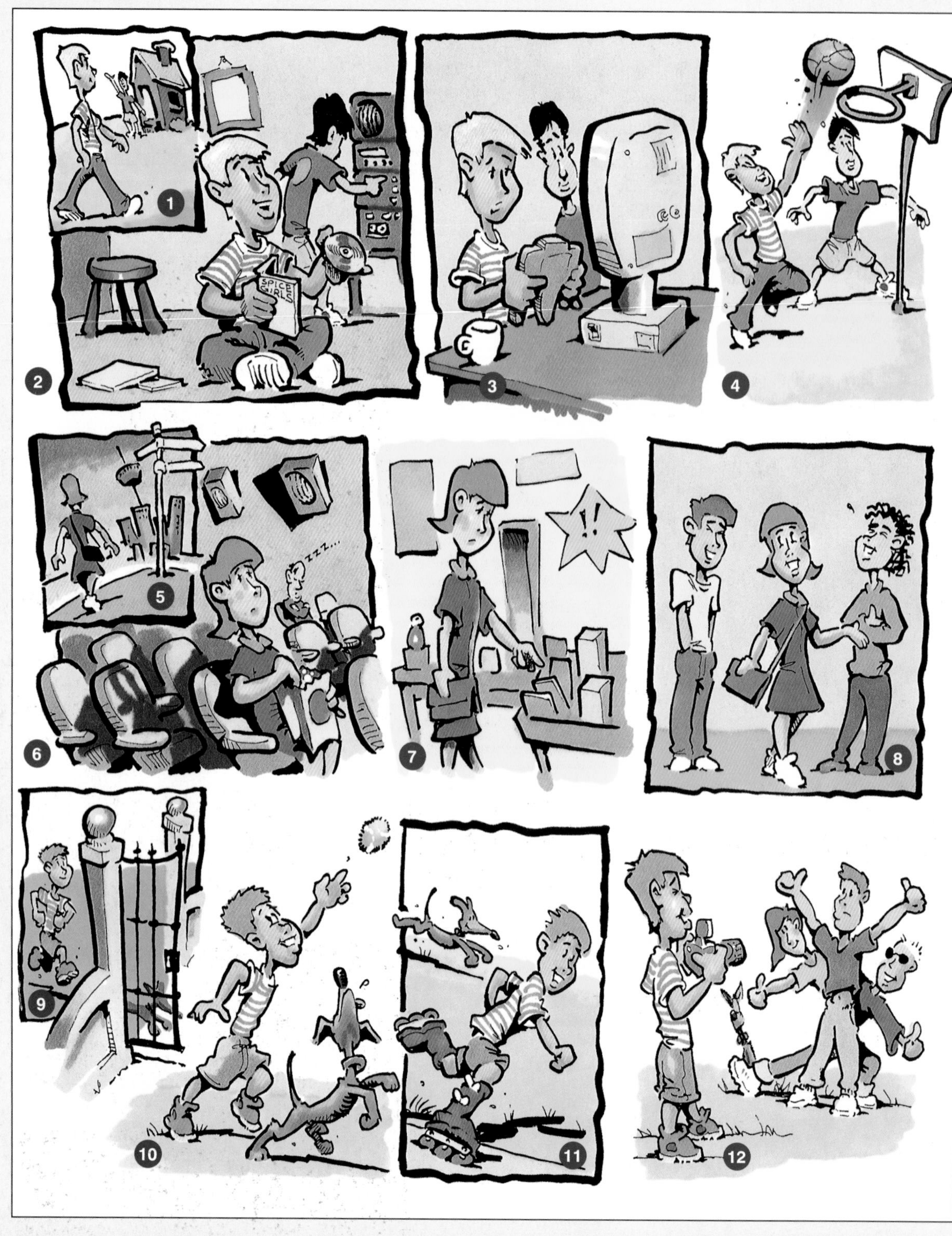

しゅうまつに何をしましたか。

ともだちのうちに行って、おんがくをききました。

どうでしたか。

とてもたのしかったです。

or

ちょっとつまらなかったです。

ふたりで

しゅうまつはどうでしたか。

よかった たのしかった つまらなかった	です。土曜日に	りょうしん ともだち おとうと	とえいがに行きました。

あ、そう。何を見ましたか。

すたあ うぉおず
スター・ウォーズ

ティン・カップ スター・ウォーズ イレイザー	を見ました。

ごりょうしん ともだち おとうとさん	は	SF ゴルフ アクション（あくしょん）	がすきですか。

ええ、大すきです。	わたし ぼく	はあまり....。 も 大すきです。	ゆりさん ひろくん	はしゅうまつに何をしましたか。

わたし ぼく	はともだちのうちに行って、	CD をききました。 ビデオを見ました。 ビデオゲームをしました。	よかった おもしろかった つまらなかった	です。

すうがく しゃかい かがく	のしゅくだいをしましたか。

ええ、しました。	むずかしかった やさしかった	ですね。

そうですね。
そうですか。

てぃん かっぷ
ティン・カップ

いれいざあ
イレイザー

SF	science fiction
アクション（あくしょん）	action

かいてみよう

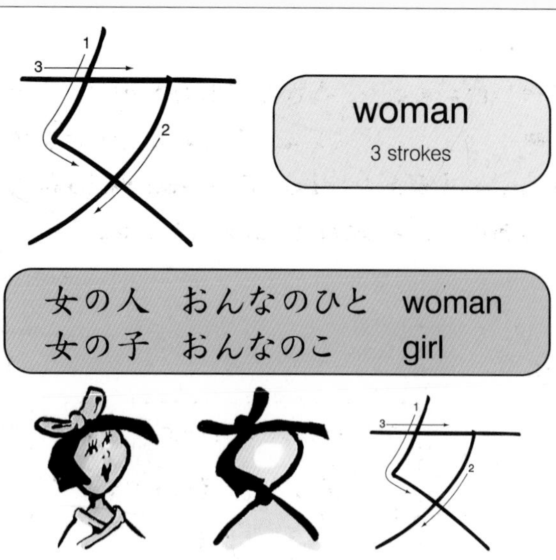

女の人	おんなのひと	woman
女の子	おんなのこ	girl

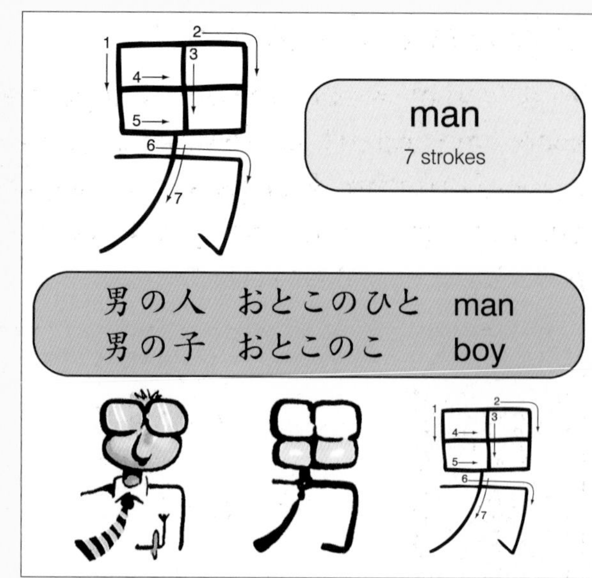

男の人	おとこのひと	man
男の子	おとこのこ	boy

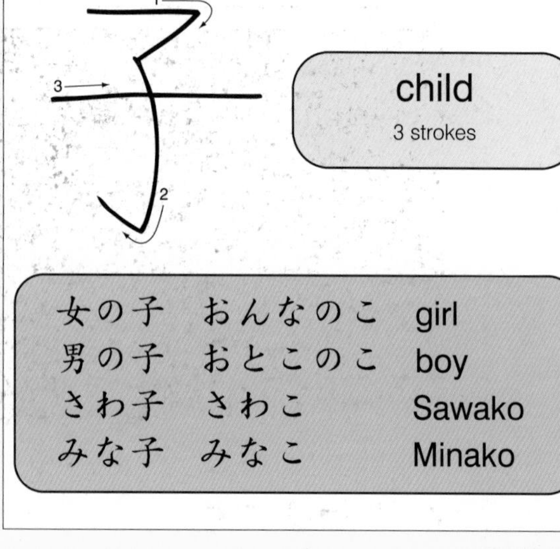

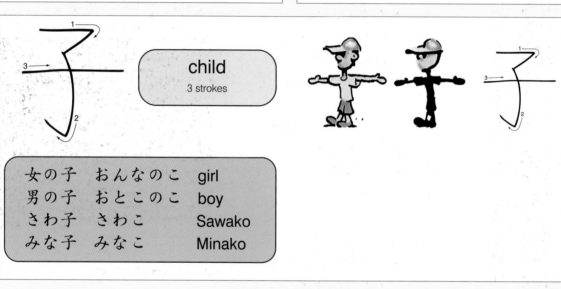

女の子	おんなのこ	girl
男の子	おとこのこ	boy
さわ子	さわこ	Sawako
みな子	みなこ	Minako

New readings

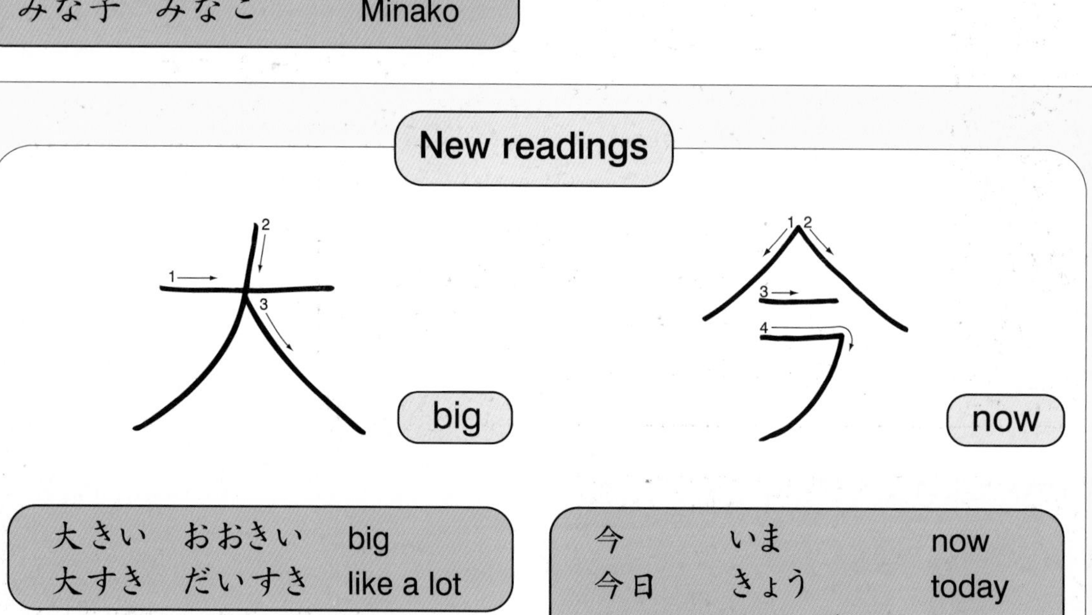

大きい	おおきい	big
大すき	だいすき	like a lot

今	いま	now
今日	きょう	today
今日は	こんにちは	hello

みんなで

あなたはどんな人ですか。

What kind of person are you? Your partner will ask you what you like doing in your spare time and will record whether you answer あ, い, う or え. If you answer three or more questions with the same letter, check that letter on the rating below to find out which group you belong to. If you give a range of answers, then you are probably very well balanced!

ひまな時、何をしますか。

一
あ　おんがくをききます。
い　テレビを見ます。
う　すいえいをします。
え　にわしごとをします。

二
あ　本をよみます。
い　えいがに行きます。
う　テニスをします。
え　こうえんに行きます。

三
あ　しゃしんをとります。
い　ビデオを見ます。
う　スポーツをします。
え　にわであそびます。

四
あ　えをかきます。
い　ビデオゲームをします。
う　サイクリングをします。
え　はなを見ます。

五
あ　ケーキをつくります。
い　レーザーディスクを見ます。
う　スポーツをれんしゅうします。
え　さんぽに行きます。

ぼくは、ひまな時、
サイクリングをします。
テニスもします。
ぼくは「う」の人ですね。

わたしはよくこうえんに行きます。
さんぽがすきです。
わたしは「え」の人ですね。

Rating

あ　「あ」の人はげいじゅつてきです。
い　「い」の人はハイテクがすきです。
う　「う」の人はスポーツがすきです。
え　「え」の人はしぜんがすきです。

はな	flowers
げいじゅつてき	creative
ハイテク	high technology
しぜん	nature

しってる？

1 します I do

しますis a multi-purpose verb. Use it to talk about things you do and games you play.

かいものをします。
I'll do some shopping.
土曜日にテニスをします。
I play tennis on Saturdays.
しゅうまつににわしごとをします。
I do the gardening on the weekend.

To say that you practise and study, add しますto れんしゅう and べんきょう.

ギターをれんしゅうします。
I practise the guitar.
日本語をべんきょうします。
I study Japanese.

2 しません I don't

You have already learnt あまりできません as a way of saying that you can't do something very well. The ～ません ending on a verb means *not*. Use it to make the negative form of a verb.

せん生はれんしゅうしません。
The teachers don't practise.
土曜日にまちに行きません。
I'm not going to town on Saturday.

If someone asks you if you do something and you want to make it very clear that you don't do it, that it's just not your thing, use は after the name of the thing you don't do.

ゴルフをしますか。
Do you play golf?
ゴルフですか。
いいえ、ゴルフはしません。
Golf? No, I don't play golf.

3 日本語がじょうずです。 You're good at Japanese!

To say that you are good or not so good at something, use the words じょうず and へた.

These words are like すき and you should use が after the name of the thing that you are good or bad at.

まさるくんはサッカーがじょうずです。
Masaru is good at soccer.
わたしはたっきゅうがへたです。
I'm not very good at table tennis.

Don't use じょうず too much about yourself – people will think you are bragging!

When someone tells you that you are good at something, rather than agreeing with them straight away, it is more natural to say something like いいえ、まだへたです (*I'm not so good yet*).

すいえいがじょうずですね。
You're a great swimmer!
いいえ、まだへたです。でも、
よくれんしゅうします。
No, not yet. But I practise a lot!

「むし」がじょうずですね！
よくれんしゅうします。
でも、まだへたです。

ことば

ひまな時　Free time

しゅみ	interests, hobbies	さんぽ	a walk, stroll
え	picture, drawing	シール（しいる）あつめ	collecting stickers
おはじき	marbles		
きってあつめ	stamp collecting	テレホンカード（てれほんかあど）あつめ	collecting phone cards
ゲーム（げえむ）	game		
ごろごろします	laze around, be a couch potato	にわしごと	gardening
		ビリヤード（びりやあど）	billiards
さかなつり	fishing	りょうり	cooking

～があります	there are ～	それから	and then
かきます	write	だから	therefore
学校のあと	after school	デザート（でざあと）	dessert
ききます	listen to	どんな～	what kind of ～
クラブ（くらぶ）	club	～に行って、...	go to ～ and ...
クラブ（くらぶ）かつどう（ぶかつ）	club activities	ぬりえのコンテスト（こんてすと）	colouring contest
		へた	bad at
しゅうまつ	weekend	～ぶ	～ club
じょうず	good at	よく	often
すぐ	straight away	Jリーグ（りいぐ）	Japan Soccer League

しんじられない！	I don't believe this!	まだへたです。	I'm not very good yet.
Jリーグ（りいぐ）のせんしゅみたいだ！	he's like a J-league player!	ようい、どん！	on your mark, go!

スポーツ（すぽおつ）　Sport

アイスホッケー（あいすほっけえ）	ice hockey	たっきゅう	table tennis
ゴルフ（ごるふ）	golf	テニス（てにす）	tennis
サイクリング（さいくりんぐ）	cycling	バスケットボール（ばすけっとぼおる）	basketball
サッカー（さっかあ）	soccer	バレーボール（ばれえぼおる）	volleyball
ジョギング（じょぎんぐ）	jogging	ラグビー（らぐびい）	rugby
すいえい	swimming	りくじょう	athletics
スキー（すきい）	skiing	やきゅう	baseball
ソフトボール（そふとぼーる）	softball		

おもしろい日本

なつやすみに何をしますか。

なつやすみですか。ぼくはゴルフ(ごるふ)が大すきです。
ビデオ(びでお)もすきです。だから、タイガー(たいがあ)・ウッズ(うっず)のゴルフビデオ(ごるふびでお)をかいます。
そして、ともだちのうちに行って、ゆっくり見ます。
タイガー(たいがあ)・ウッズ(うっず)はすごいなあ！ぼく、大すき！

おとうとはビデオゲーム(びでおげえむ)をよくします。
おとうとのたんじょうびは7月24日です。だから、
ゴルフビデオゲーム(ごるふびでおげえむ)をプレゼント(ぷれぜんと)します。そして、
いっしょにゴルフビデオゲーム(ごるふびでおげえむ)をします。たのしいですよ。

わたしはなつやすみにSFXえいがを見ます。
SFXはとても、とてもおもしろいですよ！

かぞくはしぜんがすきです。
だから、8月にかぞくとハイキング(はいきんぐ)に行きます。
なつやすみはたのしいです。

わたしはなつやすみが大すきです。
日本のなつはとてもあついですよ。
わたしはよくプールかうみに行って、すいえいをします。
すいえいがへたです。でも、すきです。
くげぬまプールガーデンは6月29日からopenです。
だから、6月29日に行きます。

としまえんのウォータースライドにも行きます。
スリルがありますよ！たのしいですよ。

潮風のふくプール。
Kugenuma
POOL GARDEN
くげぬまプールガーデン
OPEN 6/29(SUN)〜9/7(SUN)

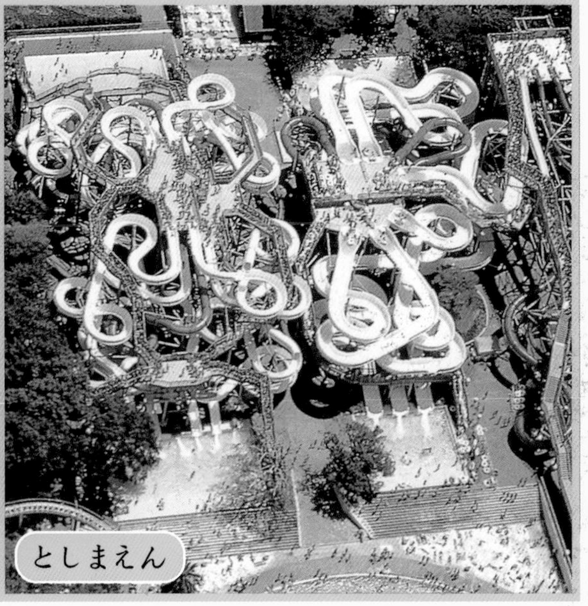

なつやすみ	summer holidays	プール	pool
タイガー・ウッズ	Tiger Woods	か	or
プレゼントします	give as a present	うみ	beach
SFX	special effects	としまえん	*name of amusement park*
しぜん	nature	ウォータースライド	water slide
ハイキング	hiking	スリルがあります	thrilling

よんでみよう

参加者大募集！
ぬり絵コンテストにご参加いただいた方の中から合計500名様に「ベイブ」・オリジナルグッズをプレゼント！
A賞
●ベイブ ぬいぐるみ 100名様
(ハズブロー社製)
B賞
●ベイブ Tシャツ 400名様
(子供サイズ／S,M,L)
■応募方法／この用紙の絵にお好きな色を塗り、必要事項をご明記の上、下記宛まで封書でお送りください。
＊感想文のなきものは無効とさせていただきます。■送り先／〒107-91　東京赤坂郵便局私書箱82号「ベイブ・ぬり絵コンテスト」係 ■締切日／平成8年10月31日(当日消印有効)■発表／賞品の発送をもってかえさせていただきます。

クイズ（くいず）

ベイブの故郷を訪ねる

クイズに答えて「オーストラリア」旅行を当てよう！

■問題／○の中に当てはまるカタカナを入れてください。
正解者の中から抽選で下記の賞品をプレゼントいたします！　**ベ○ブ**

★特賞
オーストラリア 4泊6日の旅 1組4名様

★ベイブ賞
ベイブ・オリジナル・テレホンカード 500名様

■応募方法／官製ハガキに(1)クイズの答え(2)住所(3)氏名(4)年齢(5)職業(6)電話番号を明記の上、ご応募ください。
■締切日／平成8年10月31日(当日消印有効)
■送り先〒107-91　東京赤坂郵便局私書箱82号「ベイブ」係
■発表／厳正なる抽選の上、11月頃直接本人に通知もしくは賞品の発送をもってかえさせていただきます。
■特賞当選者の旅行参加条件 ❶1組4名様、ただし高校生以下は保護者の同伴を原則とします。❷健康上、心配のない方に限ります。❸発着地は成田空港です。日本国内での交通費・宿泊費・パスポート・ビザの取得等、渡航手続き費用はご本人負担となります。❹譲渡はできません。❺旅行日程は平成8年12月頃を予定。
＊詳しくは当選者に直接ご連絡します。

1 Here is the information about the colouring contest that Minako is entering. Using your recognition and match-up skills, and the information given, work out answers to the following questions.

a 500 people can win prizes A or B, which are prizes for entering the ぬりえコンテスト（こんてすと）. What are these prizes? How many of each are available?

b What do you have to do to win the quiz prize? (Look at the section labelled クイズ（くいず）.)

c What is the prize for winning the quiz? How many days is it?

d What are the quiz consolation prizes? How many are there?

ぬいぐるみ	stuffed toy
Tシャツ	T-shirt
～名様	is the same as ～人
クイズに答えて	answer the quiz question
オーストラリア旅行	trip to Australia
ベイブ・オリジナル・テレホンカード	Babe telephone cards

プール入場料金
(入園料含む)
★大人＝3,500円
★子供＝2,500円

2 Mrs Asano, Sawako and Minako are going to a pool garden. Here are the admission prices. How much will they have to pay to get in?

3 Through which of these toilet doors would you enter?

日本語–えい語

あ	
あ～あ	oh
あさごはん	breakfast
あそびます	muck about, hang out
あたらしい	new
あっ！	oh!
あつい	hot
あと	after
あに	my older brother
あね	my older sister
あの～	that ～
あの...	hey ...
あまりすきじゃない	don't like very much
あまりできません	can't do (it) very well
あめ	rain
ありがとう	thanks
ありがとうございます	thank you
(～が) あります	there are ～
あるいて	by foot, walk

い	
いい	good
いいえ	no, not at all
いいなあ！	lucky thing!
いきます (行きます)	go
いただきます	*said before eating*
いち (一)	one
いちがつ (一月)	January
いちばんすきな～	favourite ～
いちばんたかい	highest
いちばんはやい	fastest
いちにち (一日)	one day
いつ	when
いつか (五日)	fifth of the month
いっしょに	together
いってきます	*said when leaving the house*
いってらっしゃい	*said to person leaving the house*
いぬ	dog
いま (今)	now
いまから (今から)	from now
いもうと	my younger sister
いもうとさん	your younger sister

う	
うち	house, home
うみ	beach
うるさい	noisy

え	
え	picture, drawing
ええ	yeah
ええと...	umm
えいが	movie, film
えいご (えい語)	English (language)
えっ！	ah!
えん	yen
えんぴつ	pencil

お	
おいしい	delicious, good (tasting)
おおきい (大きい)	big
おかえりなさい	welcome back
おかし	Japanese sweets, cakes
おきて	get up!
おきます	get up
おす	hi
おそい	late
おそくなってすみません	sorry I'm late
おちゃ	Japanese green tea
おてら	temple
おとうさん (お父さん)	your father
おとうと	my younger brother
おとうとさん	your younger brother
おとこのこ (男の子)	boy
おなかすいた！	I'm starving!
おなまえ	your name
おにいさん	your older brother
おねえさん	your older sister
おはじき	marbles
おはよう	morning!
おはようございます	good morning
おべんとう	lunch
おみやげ	souvenir
おもしろい	interesting, fun
おやすみなさい	good night
おわります	finish
おんがく	music
おんなのこ (女の子)	girl

か／が	
か	or
がいこくご (がいこく語)	foreign language
がいこくじん (がいこく人)	foreigner
がいじんみたい！	just like a foreigner!
かいます	buy
かいもの	shopping
かえります	go home
かがく	science
かして (ください)	lend me
～がつ (～月)	month
かっこいい	cool
がっこう (学校)	school
かていか	home economics
かぞく	my family
かみ	paper, sheet of paper
かもく	subject
かようび (火曜日)	Tuesday
から	from
かわいい	cute
かんこくご (かんこく語)	Korean (language)
がんばって (ください)	hang in there! try hard!
がんばります	try hard

き／ぎ	
きいて	listen!
きをつけて	be careful
ききます	listen to
ぎじゅつ	technical skills, metalwork, woodwork
きって	stamp
きってあつめ	stamp collecting
きのう	yesterday
きびしい	strict
きます	put on (clothes)
きもの	kimono
きゅう (九)	nine
ぎゅうにゅう	milk
きょう (今日)	today
きりつ！	stand!
きんようび (金曜日)	Friday

く／ぐ	
く (九)	nine
くがつ (九月)	September
くさい	smelly
(～て) ください	please do ～
(～を) ください	please give me ～
くる	come
くるま	car
～くん	*used after boy's name*

け／げ	
けしゴム	eraser
げつようび (月曜日)	Monday
けんどう	Japanese fencing

こ／ご	
ご (五)	five
～ご (～語)	language
こうえん	park
こうこうせい (こう校生)	senior high school student
ごかぞく	your family

ごがつ（五月）	May
こくご（こく語）	national language (Japanese in Japan)
こくばん	blackboard
ここのか（九日）	ninth of the month
ごちそうさま	*said after eating*
こちら	this (polite)
この～	this ～
ごはん	rice
ごりょうしん	your parents
これ	this (thing)
ごろごろします	laze around, be a couch potato
こんばんは	good evening
こんにちは（今日は）	hello, good afternoon

さ／ざ

さあ	well then
～さい	～ years old
さかな	fish
さかなつり	fishing
ざっし	magazine
さむい	cold
さようなら	goodbye
さん（三）	three
～さん	Mr, Mrs, Ms, Miss
さんがつ（三月）	March
さんぽ	a walk, stroll

し／じ

し（四）	four
じ	letter, character
～じ（～時）	～ o'clock
しか	deer
しがつ（四月）	April
～じかんめ	class ～, period ～
しごと	work
しずか	quiet
しずかにして	be quiet!
しぜん	nature
しち（七）	seven
しちがつ（七月）	July
じてんしゃ	bicycle
～じはん（～時半）	half past ～
します	do, play (a sport)
じゃ	well then, well
しゃかい	social studies
しゃしん	photo
じゅう（十）	ten
じゅういちがつ（十一月）	November
じゅういちにち（十一日）	eleventh of the month
しゅうがくりょこう	school trip
じゅうがつ（十月）	October
じゅうごにち（十五日）	fifteenth of the month
じゅうにがつ（十二月）	December
しゅうまつ	weekend
じゅうよっか（十四日）	fourteenth of the month
しゅくだい	homework
しゅみ	interests, hobbies
しょうかいします	introduce
しょうがくせい（しょう学生）	primary/ elementary school student
しょうがない	too bad! can't be helped!
じょうぎ	ruler
じょうず	good at
しんかんせん	Shinkansen, Bullet train
しんじられない！	I don't believe this!

す／ず

すいえい	swimming
すいようび（水曜日）	Wednesday
すうがく	maths
すうじ	numbers
すき	like
すぐ	straight away
すごい	fantastic
すわって（ください）	sit down
（に）すんでいます	(I) live in ...

せ／ぜ

せいふく	school uniform
せんしゅ	player, athlete
せんしゅう	last week
せんせい（せん生）	teacher
せんべい	Japanese crackers

そ／ぞ

そして	and, and then
その～	that
それから	and then

た／だ

たいいく	physical education
だいすき（大すき）	like a lot
たいそうぎ	sports uniform
たかい	high
だから	therefore
たくさん	many
たっきゅう	table tennis
ただいま	welcome back
たのしい	enjoyable, fun
たべます	eat
だめ！	don't do that!
だれ	who?
だれと	who with?
だれの	whose?

ち

ちがいます	be wrong
ちち（父）	my father
ちゃくせき！	sit!
～ちゃん	*used after child's name*
ちゅうがっこう（ちゅう学校）	junior high school
ちゅうがくせい（ちゅう学生）	junior high school student
ちゅうごくご（ちゅうごく語）	Chinese (language)
ちょっと	a bit
ちょっとまって	wait a minute
ちり	geography

つ

ついたち（一日）	first of the month
つぎ	next
つくります	make
つまらない	boring

て／で

で	by (a means of transport)
できます	can do (something)
です	is, am
でました	came out
でも	but
てん	mark, grade
てんき	weather
でんしゃ	train
でんわばんごう	telephone number
でんわばんごうは？	what's your telephone number?

と／ど

と	and, with
どうおもいますか	what do you think?
どうぞ	here you are
どうぞよろしく	nice to meet you
どうも	thanks
どうやって	how? by what means?
とおか（十日）	tenth of the month
ときどき（時々）	sometimes
どこ	where?
とても	very
ともだち	friend/s
どようび（土曜日）	Saturday
とりごはん	chicken and rice
とります	take
どんな～	what kind of ～

な

なつやすみ	summer holidays
なな（七）	seven
なに（何）	what?
なのか（七日）	seventh of the month
なまえ	name
なんがつ（何月）	what month?
なんさい（何さい）	how old?
なんじ（何時）	what time?
なんにち（何日）	what day of the month?

なんねんせい（何年生）	what year-level student?

に

に（二）	two
にがつ（二月）	February
にじゅう（二十）	twenty
にじゅういちにち（二十一日）	twenty-first of the month
にじゅうよっか（二十四日）	twenty-fourth of the month
～にち、か（～日）	day of the month
にちようび（日曜日）	Sunday
にほん（日本）	Japan
にほんご（日本語）	Japanese
にわ	garden
にわしごと	gardening
～にん（～人）	～ people
(～に) にんきがあります	is popular with ～

ね

ね	isn't it? aren't you?
ねえ	hey
ねこ	cat
～ねんせい（～年生）	～ year student

の

のみます	drink
のり	glue

は／ば／ぱ

はあい！	yeeesss!
はい	yes
はさみ	scissors
はじめまして	how do you do?
はち（八）	eight
はちがつ（八月）	August
はつか（二十日）	twentieth of the month
はは（母）	my mother
はやい	early
はやく！	hurry up!
ばんごはん	evening meal, dinner

ひ／び／ぴ

びじゅつ	art
ひと（人）	person
ひどい	dreadful, awful
ひとり（一人）	one person
ひとりで（一人で）	by herself, by himself
ひまなとき (ひまな時)	free time, spare time
ひゃく（百）	one hundred
ひらいて	open!
ひるやすみ	lunchtime

ふ／ぶ／ぷ

～ぶ	～ club
ふつか（二日）	second of the month
ふでばこ	pencil case
～ふん、ぷん（～分）	minute

へ／べ／ぺ

へえ	yeah? really?
へた	not very good at
へや	room
べんきょう	study

ほ／ぼ／ぽ

ぼく	I (boy speaking)
ぼくの	my (boy speaking)
ぼくも	me too (boy speaking)
ほん（本）	book
ほんとう？	really?

ま

まあまあ	so-so
まいにち（まい日）	every day
まえ	before, to
まずい	awful (tasting)
また！	not again!
まだへた	not good at yet
またらいしゅう	see you next week
まち	town
まって（ください）	wait a minute
まで	until, to
まんが	comic, cartoon

み

みせて（見せて）	show me
みそしる	soybean soup
みて（見て）	look!
みっか（三日）	third of the month
みなさん	everyone
みます（見ます）	look at, watch, see
みんな	everyone

む

むいか（六日）	sixth of the month
むずかしい	difficult

も

も	also, too
もう	already
もくようび（木曜日）	Thursday

や

やあ	hi
やきゅう	baseball
やさい	vegetables
やさしい	easy to do, not too strict (person)
やすみ	holiday

ゆ

ゆっくり	slowly

よ

よい	good
ようい、どん！	on your mark, go!
ようか（八日）	eighth of the month
ようちえんせい	kindergarten student
ようふく	clothes
よく	well, often
よくできた	well done!
よくできます	can do (it) well
よくできました	well done
よっか（四日）	fourth of the month
よみます	read
よる	night
よん（四）	four

ら

らいしゅう	next week
らいねん（らい年）	next year

り

りくじょう	athletics
りょうしん	my parents
りょうり	cooking

れ

れい！	bow!
れい	zero
れきし	history
れんしゅう	practice
れんしゅうしましょう	let's practise

ろ

ろく（六）	six
ろくがつ（六月）	June

わ

わあ	wow
わたし	I
わたしの	my
わたしも	me too

カタカナ–えい語

ア（あ）

アイスホッケー	ice hockey

イ（い）

イタリア語	Italian (language)
インドネシア語	Indonesian (language)

エ（え）

エレクトーン	electric organ

オ（お）

オートバイ	motor cycle

キ／ギ（き／ぎ）

ギター	guitar

ク／グ（く／ぐ）

グーグー	zzzz
クラス	class
クラブ	club
クラブかつどう（ぶかつ）	club activities

ケ／ゲ（け／げ）

ケーキ	cake
けしゴム	eraser
ゲーム	game

コ／ゴ（こ／ご）

コーヒー	coffee
ゴルフ	golf
コンピューターがく	computer science

サ／ザ（さ／ざ）

サイクリング	cycling
サッカー	soccer
サラダ	salad

シ／ジ（し／じ）

シーバス	sea-bus, ferry
シールあつめ	collecting stickers
シャープペン	refillable pencil
ジュース	fruit juice
ジョギング	jogging

ス／ズ（す／ず）

スキー	skiing
スケーティングバイク	skate bike, scooter
スポーツ	sport

ソ／ゾ（そ／ぞ）

ソフトボール	softball

タ／ダ（た／だ）

タクシー	taxi

チ（ち）

チョコレート	chocolate

テ／デ（て／で）

テープ	tape
デザート	dessert
デザイナー	designer
テニス	tennis
テスト	test
テレビ	television, TV
テレホンカードあつめ	collecting phone cards

ト／ド（と／ど）

トースト	toast
ドイツ語	German (language)

ハ／バ／パ（は／ば／ぱ）

ハイキング	hiking
バイバイ	bye
バス	bus
バスケットボール	basketball
パチパチ	clap, clap
バドミントン	badminton
バレーボール	volleyball
バンダナ	headband
バンド	band

ヒ／ビ／ピ（ひ／び／ぴ）

ビデオ	video
ビデオゲーム	video game
ビリヤード	billiards

フ／ブ／プ（ふ／ぶ／ぷ）

プール	pool
フランス語	French (language)
プリントクラブ	print club
プレゼント	present, gift

ヘ／ベ／ペ（へ／べ／ぺ）

ベーコンエッグ	bacon and eggs
ページ	page

ホ／ボ／ポ（ほ／ぼ／ぽ）

ボールペン	pen/biro

マ（ま）

マーカー	highlighter

メ（め）

メンバー	member

ヤ（や）

ヤクルト	Yakult

ヨ（よ）

ヨーグルト	yoghurt

ラ（ら）

ラグビー	rugby

ロ（ろ）

ローラーブレード	in-line skating

えい語–日本語

A

after school	がっこう（学校）のあと
ah!	えっ！
ah, oh	ああ
already	もう
also, too	も
and	と
and, and then	そして、それから
April	しがつ（四月）
art	びじゅつ
athletics	りくじょう
August	はちがつ（八月）
awful	ひどい
awful (tasting)	まずい

B

bad at	へた
bacon and eggs	ベーコンエッグ（べえこんえっぐ）
badminton	バドミントン（ばどみんとん）
band	バンド（ばんど）
baseball	やきゅう
basketball	バスケットボール（ばすけっとぼおる）
be careful	きをつけて
beach	うみ
before, to	まえ
bicycle	じてんしゃ
big	おおきい（大きい）
billiards	ビリヤード（びりやあど）
biro, ball pen	ボールペン（ぼおるぺん）
(a) bit	ちょっと
blackboard	こくばん
book	ほん（本）
boring	つまらない
boy	おとこのこ（男の子）
breakfast	あさごはん
brother (my older)	あに
brother (your older)	おにいさん
brother (my younger)	おとうと
brother (your younger)	おとうとさん
Bullet train (Shinkansen)	しんかんせん
bus	バス（ばす）
but	でも
buy	かいます
by (a means of transport)	で
by foot, walk	あるいて
by herself, by himself	ひとりで（一人で）
bye	バイバイ（ばいばい）

C

cake	ケーキ（けえき）
came out	でました
can do (something)	できます
can't do (it) very well	あまりできません
car	くるま
cartoon	まんが
cat	ねこ
chocolate	チョコレート（ちょこれえと）
Chinese (language)	ちゅうごくご（ちゅうごく語）
clap, clap	パチパチ（ぱちぱち）
class 〜, period 〜	〜じかんめ
cleaning	そうじ、そうじをします
clothes	ようふく
club	クラブ（くらぶ）
〜 club	〜ぶ
club activities	クラブかつどう（くらぶ）（ぶかつ）
coffee	コーヒー（こおひい）
cold	さむい
collecting phone cards	テレホンカードあつめ（てれほんかあど）
collecting stickers	シールあつめ（しいる）
comic	まんが
computer science	コンピューターがく（こんぴゅうたあ）
cooking	りょうり
cool	かっこいい
cute	かわいい
cycling	サイクリング（さいくりんぐ）

D

day of the month	〜にち、か（〜日）
December	じゅうにがつ（十二月）
deer	しか
delicious, good (tasting)	おいしい
dessert	デザート（でざあと）
difficult	むずかしい
dinner	ばんごはん
do	します
dog	いぬ
don't do that!	だめ！
don't like very much	あまりすきじゃない
dreadful, awful	ひどい
drink	のみます

E

early	はやい
easy to do	やさしい
eat	たべます
eight	はち（八）
eighth of the month	ようか（八日）
electric organ	エレクトーン（えれくとおん）
eleventh of the month	じゅういちにち（十一日）
English (language)	えいご（えい語）
enjoyable, fun	たのしい
eraser	けしゴム（ごむ）
evening meal, dinner	ばんごはん
every day	まいにち（まい日）
everyone	みなさん、みんな

F

(my) family	かぞく
(your) family	ごかぞく
fantastic	すごい
fastest	いちばんはやい
(my) father	ちち（父）
(your) father	おとうさん（お父さん）
favourite 〜	いちばんすきな〜
February	にがつ（二月）
fifteenth of the month	じゅうごにち（十五日）
fifth of the month	いつか（五日）
film, movie	えいが
finish	おわります
first of the month	ついたち（一日）
fish	さかな
fishing	さかなつり
five	ご（五）
foreign language	がいこくご（がいこく語）
foreigner	がいこくじん（がいこく人）
four	し、よん（四）
fourteenth of the month	じゅうよっか（十四日）
fourth of the month	よっか（四日）
free time	ひまなとき（ひまな時）
French (language)	フランス語（ふらんすご）
Friday	きんようび（金曜日）
friend/s	ともだち
from	から
from now	いまから（今から）

fruit juice	ジュース

G

game	ゲーム
garden	にわ
gardening	にわしごと
geography	ちり
German (language)	ドイツ語
get up	おきます
get up!	おきて
girl	おんなのこ(女の子)
glue	のり
go	いきます(行きます)
golf	ゴルフ
go home	かえります
good	いい、よい
good afternoon	こんにちは(今日は)
good at	じょうず
good evening	こんばんは
good morning	おはようございます
good night	おやすみなさい
goodbye	さようなら
guitar	ギター

H

half past ～	～じはん(～時半)
headband	バンダナ
hello, good afternoon	こんにちは(今日は)
here you are	どうぞ
hey	ねえ、あの...
hi!	おす！やあ！
highest	いちばんたかい
highlighter	マーカー
hiking	ハイキング
history	れきし
hobbies, interests	しゅみ
holiday	やすみ
home economics	かていか
homework	しゅくだい
hot	あつい
house, home	うち
how? by what means?	どうやって
how about ～? what's ～ like?	～はどうですか
how do you do?	はじめまして
how old?	なんさい(何さい)
hundred	ひゃく（百）
hurry up!	はやく！

I

I	わたし
I (boy speaking)	ぼく
ice hockey	アイスホッケー
I'm starving!	おなかすいた！
Indonesian (language)	インドネシア語
in-line skating	ローラーブレード
interesting	おもしろい
interests, hobbies	しゅみ
introduce	しょうかいします
is, am	です
Italian (language)	イタリア語

J

January	いちがつ（一月）
Japan	にほん（日本）
Japanese crackers	せんべい
Japanese fencing	けんどう
Japanese green tea	おちゃ
Japan Soccer League	Jリーグ
Japanese sweets, cakes	おかし
jogging	ジョギング
July	しちがつ（七月）
June	ろくがつ（六月）
junior high school	ちゅうがっこう（ちゅう学校）
junior high school student	ちゅうがくせい（ちゅう学生）

K

kimono	きもの
kindergarten student	ようちえんせい
Korean (language)	かんこくご（かんこく語）

L

last week	せんしゅう
(it's) late!	おそい！
laze around, be a couch potato	ごろごろします
lend me	かして(ください)
letter, character	じ
like	すき
like a lot	だいすき（大すき）
listen!	きいて
listen to	ききます
(I) live in ...	...（に）すんでいます
look!	みて（見て）
look at, watch, see	みます(見ます)
lucky thing!	いいなあ！
lunch	おべんとう
lunchtime	ひるやすみ

M

magazine	ざっし
make	つくります
many	たくさん
marbles	おはじき
March	さんがつ（三月）
mark, grade	てん
maths	すうがく
May	ごがつ（五月）
milk	ぎゅうにゅう
minute	～ふん、ぷん（～分）
Monday	げつようび（月曜日）
month	～がつ（～月）
morning!	おはよう
(my) mother	はは（母）
(your) mother	おかあさん（お母さん）
motor cycle	オートバイ
movie, film	えいが
Mr, Mrs, Ms, Miss	～さん
muck about, hang out	あそびます
music	おんがく
my	わたしの
my (boy speaking)	ぼくの

N

name	なまえ
national language (Japanese in Japan)	こくご（こく語）
nature	しぜん
new	あたらしい
next	つぎ
next week	らいしゅう
next year	らいねん（らい年）
nice to meet you	どうぞよろしく
night	よる
nine	く、きゅう（九）
ninth of the month	ここのか（九日）
no	いいえ
noisy	うるさい
not again!	また！
not at all	いいえ
not very good at	へた
November	じゅういちがつ（十一月）
now	いま（今）
numbers	すうじ

O

～ o'clock	～じ（～時）
October	じゅうがつ（十月）
often	よく
oh	あ～あ
oh!	あっ！
one	いち
one day	いちにち（一日）
one person	ひとり（一人）
open your book	ほんをひらいて
or	か

P

paper	かみ
(my) parents	りょうしん
(your) parents	ごりょうしん
park	こうえん
pen/biro	ボールペン
pencil	えんぴつ
pencil case	ふでばこ
～ people (counter)	～にん（～人）
person	ひと（人）
photo	しゃしん
physical education	たいいく
picture, drawing	え

player, athlete	せんしゅ
please do ～	～てください
please give me ～	（～を）ください
pool	プール
(is) popular with	（～に）にんきがあります
practice	れんしゅう
practise	れんしゅうします
present, gift	プレゼント
primary/elementary school student	しょうがくせい（しょう学生）
print club	プリントクラブ
put on (clothes)	きます

Q

quiet	しずか
(be) quiet!	しずかにして

R

rain	あめ
read	よみます
really?	ほんとう?
refillable pencil	シャープペン
rice	ごはん
room	へや
rugby	ラグビー
ruler	じょうぎ

S

salad	サラダ
Saturday	どようび（土曜日）
school	がっこう（学校）
school trip	しゅうがくりょこう
science	かがく
scissors	はさみ
sea-bus, ferry	シーバス
second of the month	ふつか（二日）
see you later	じゃ、また
see you next week	またらいしゅう
senior high school student	こうこうせい（こう校生）
September	くがつ（九月）
seven	しち、なな（七）
seventh of the month	なのか（七日）
shopping	かいもの
show me	みせて（見せて）
sister (my older)	あね
sister (your older)	おねえさん
sister (my younger)	いもうと
sister (your younger)	いもうとさん
sit down	すわって（ください）
six	ろく（六）
sixth of the month	むいか（六日）
skate bike, scooter	スケーティングバイク
skiing	スキー
slowly	ゆっくり
smelly	くさい
soccer	サッカー
softball	ソフトボール
so-so	まあまあ
social studies	しゃかい
sorry I'm late	おそくなってすみません
souvenir	おみやげ
soybean soup	みそしる
sport	スポーツ
sports uniform	たいそうぎ
stamp	きって
stamp collecting	きってあつめ
stand up	たって（ください）
straight away	すぐ
strict	きびしい
stroll, a walk	さんぽ
study	べんきょう
subject	かもく
summer holidays	なつやすみ
Sunday	にちようび（日曜日）
swimming	すいえい

T

table tennis	たっきゅう
take	とります
tape	テープ
taxi	タクシー
teacher	せんせい（せん生）
technical skills, metalwork, woodwork	ぎじゅつ
telephone card	テレホンカード
telephone number	でんわばんごう
television, TV	テレビ
temple	おてら
ten	じゅう（十）
tennis	テニス
tenth of the month	とおか（十日）
test	テスト
thank you	ありがとうございます
thanks	どうも、ありがとう
that ～	あの～
that ～	その～
there are ～	（～が）あります
therefore	だから
third of the month	みっか（三日）
thirtieth of the month	さんじゅうにち（三十日）
this ～	この～
this (thing)	これ
three	さん（三）
Thursday	もくようび（木曜日）
toast	トースト
today	きょう（今日）
together	いっしょに
too, also	も
too bad! can't be helped!	しょうがない
town	まち
train	でんしゃ
tried hard	よくがんばりました
try hard!	がんばって（ください）
Tuesday	かようび（火曜日）
twentieth of the month	はつか（二十日）
twenty	にじゅう（二十）
twenty-first of the month	にじゅういちにち（二十一日）
twenty-fourth of the month	にじゅうよっか（二十四日）
two	に（二）

U

uniform (school uniform)	せいふく
until, to	まで
umm	ええと…

V

vegetables	やさい
very	とても
video	ビデオ
video game	ビデオゲーム
volleyball	バレボール

W

wait a minute	ちょっとまって（ください）
walk, go on foot	あるいて
(a) walk, stroll	さんぽ
weather	てんき
Wednesday	すいようび（水曜日）
weekend	しゅうまつ
well done!	よくできた、よくできました
well, well then	じゃ、さあ
what?	なに(何)?
what day of the month?	なんにち（何日）
what kind of ～?	どんな～
what month?	なんがつ（何月）
what time?	なんじ（何時）
what's ～ like?	～はどうですか
what's your telephone number?	でんわばんごうは?
when?	いつ
where?	どこ
who?	だれ
whose?	だれの
who with?	だれと
work	しごと
wow	わあ

Y

Yakult	ヤクルト
yeah	ええ
～ year student	～ねんせい（～年生）
～ years old	～さい
yen	えん
yes	はい
yesterday	きのう
yoghurt	ヨーグルト
your name	おなまえ

Z

zero	れい

Japanese expressions

said before eating	いただきます
said after eating	ごちそうさま
said when leaving the house	いってきます
said to person leaving the house	いってらっしゃい
I'm home!	ただいま
welcome back	おかえりなさい

In the classroom

stand!	きりつ！
sit!	ちゃくせき！
bow!	れい！